Te quiero. Te odio

Colección «PROYECTO»
34

Carlos G. Vallés

TE QUIERO. TE ODIO

Dinámica
de las relaciones humanas

7.ª edición

Editorial SAL TERRAE
Santander

© 1994 by Carlos G. Vallés
Ahmedabad (India)

Para la edición española:
© 1997 by Editorial Sal Terrae
Polígono de Raos, Parcela 14-I
39600 Maliaño (Cantabria)
Fax: 942 369 201
E-mail: salterrae@salterrae.es
http://www.salterrae.es

Con las debidas licencias
Impreso en España. Printed in Spain
ISBN: 84-293-1112-2
Dep. Legal: BI-2109–01

Fotocomposición:
Didot, S.A. - Bilbao
Impresión y encuadernación:
Grafo, S.A. - Bilbao

Una mujer dijo a un hombre:
—Te amo.
Y el hombre respondió:
—Mi corazón es merecedor de tu amor.
Y la mujer habló:
—¿Acaso no me amas?
Y el hombre elevó sus ojos hacia ella y calló.
Entonces la mujer gritó:
—¡Te odio!
Y el hombre dijo:
—Pues, entonces, mi corazón también es merecedor
de tu odio.

KHALIL GIBRAN

Índice

¡MAMÁ ES TONTA!

Los psicólogos hablan de relaciones «amor-odio». Te quiero, te odio. El corazón humano es más profundo de lo que ningún humano puede sospechar, y las mezclas más extrañas se producen en él con facilidad sorprendente. Hasta extremos opuestos pueden reconciliarse en él en alegre vecindad, por mucho que esto deje perplejo al responsable de ese corazón que no acaba de entender cómo puede sentirse decaído en medio del triunfo, vengativo al tiempo que agradecido, y presa de instintos criminales mientras se entrega a la ternura. Los sentimientos más nobles y sagrados pueden ir de la mano con las tendencias más degradadas, y el infierno se mezcla con el cielo en ese misterio palpitante que es el corazón humano.

Lo que este libro sugiere es que toda relación humana es, en mayor o menor grado, una relación de amor y odio, y que el entender, aceptar y obrar en consecuencia con este hecho es un paso importante para mejorar esas relaciones y levantar con ello el nivel afectivo de nuestra vida. Esa vida, junto con nuestra responsabilidad y todo lo que gozamos o sufrimos, queda definida en gran parte por la manera como nos relacionamos con todas esas personas a quienes conocemos en nuestro hacer diario con mayor o menor intimidad, con quienes hablamos y trabajamos y vivimos, en quienes pensamos y a quienes amamos, apreciamos, tememos y, quizá, odiamos. Nuestras relaciones modelan nuestra vida, y si nosotros, una vez alertados de esta situación, aprendemos a modelar a nuestra vez nuestras relaciones según patrones más efectivos, habremos dado un gran paso hacia una existencia más feliz y más útil.

Las mezclas son siempre difíciles de analizar. Se nos hace más fácil manejar situaciones de todo o nada, blanco o negro, santo o pecador, héroe o bandido, y dividir al género humano en amigos y enemigos, con una tierra de nadie de gente indiferente por medio. Pero la realidad es un poco más complicada y más desafiante. El hecho es que hasta nuestro mejor amigo puede convertirse temporalmente en enemigo, y en medio del amor más puro puede haber una veta de odio clara y definida, por molesta que sea su irracional presencia.

Nuestra primera reacción al encontrarnos cara a cara con este desagradable descubrimiento es negar la realidad, disimular las sombras, ocultar el sentimiento innoble. ¿Cómo puedo odiar a mi amigo a quien amo con toda mi alma? Esto era sólo una nube pasajera que hay que despedir cuanto antes del horizonte para que no empañe la intimidad de nuestra bella amistad. Así pensamos, pero el pensamiento nos engaña. Al rechazar el pensamiento que nos llevaba a analizar nuestro interior, ponemos en peligro nuestra amistad; al ocultar la semilla del desacuerdo, fomentamos su germinar; y al negarnos a mirar dentro de nosotros mismos con imparcialidad y valentía, nos perdemos la oportunidad de diagnosticar nuestros males y curar nuestras heridas. El sentimiento hostil se ha implantado en medio mismo de nuestro mejor afecto, y allí hemos de examinarlo y manejarlo si queremos conseguir una mejor integración de nuestra compleja personalidad. Aceptar la mezcla es la primera condición para entenderla.

Llevamos la mezcla dentro desde el principio mismo de nuestra vida consciente, y entonces la veíamos y expresábamos con la encantadora inocencia del niño que aún no conoce la malicia. Fue más adelante, al crecer y aprender que hay cosas que están bien y pueden decirse y otras que están mal y han de ocultarse cuidadosamente ante la sociedad con esa máscara que se llama «buenos modales», cuando comenzamos a vetar la expresión de esos sentimientos incómodos y llegamos a perder la conciencia de que los teníamos. Aclaro la situación con un ejemplo de mi propia experiencia que saca a la luz con claridad y cariño los sentimientos contradictorios que se dan cita al mismo tiempo en un niño normal, y que también indica suavemente el origen de esa contradicción. Todos nos podemos reconocer a nosotros mismos en la figura del niño a quien todos queremos.

Al entrar en una casa que frecuento, me saludaron un día con la alegre noticia del último acontecimiento familiar. La niña pequeña de la casa, que hacía algún tiempo ya andaba balbuciendo sonidos más o menos traducibles al lenguaje humano, había pronunciado aquel día por primera vez una frase completa y correcta. Su primera oración gramatical, con sujeto, verbo y predicado, todo en su orden y con perfecto sentido. Examen de ingreso en la humanidad parlante; primer paso en una carrera lingüística que había de durar de por vida en un universo de palabras sin fin. Toda la familia estaba celebrando la proeza de su miembro más pequeño, habían informado a los vecinos, habían hecho llamadas por teléfono, y ahora se volcaron en mí, que tuve la suerte de entrar en medio del jolgorio familiar, y fui inmediatamente puesto al corriente de la reciente hazaña de la niña aventajada. Doctorado anticipado de futuros logros académicos.

Entre el alboroto que se armó, casi se olvidaron de decirme lo que la niña había dicho. La frase como tal carecía de importancia, en comparación con el hecho de haber sido pronunciada. Pero la frase era significativa, bien significativa, y abría una vena de información, breve pero valiosa, para entender mejor la mentalidad de aquella niña que acababa de ingresar en el mundo literario. La niña había declarado con palabras exactas y pronunciación clara: «Mamá es tonta».

Frase lapidaria. Joya epigramática. Primera declaración de la pequeña que estrena lenguaje a las puertas de una repleta autobiografía. Ventana que da al alma. Titulares para un informe familiar. «Mamá es tonta». Todos comentaban con regocijo la feliz ocurrencia: «¡Vaya que si es lista!» «¡Qué niña más espabilada!» «Anda, dilo otra vez, que te oigan todos». Y entretanto la niña estaba en el centro de todo el alboroto, tranquila y consciente de su propia importancia, agradecía impasible las enhorabuenas y parecía estar un poco sorprendida de que una afirmación tan clara y sencilla hubiera causado tanto revuelo entre los asistentes. ¿No era evidente a todas luces y ante todo el mundo que su mamá era tonta?

Comenzamos a entender la serie de sucesos que ha desembocado en esa atrevida conclusión en la mente de la niña. Desde luego que la pequeña ama a su madre, se ha aferrado a ella desde el primer momento de su existencia, ha sentido su cercanía, su cariño, su ternura en cada caricia y en cada ayuda del menester diario con entrega materna. La niña sabe que ella lo es todo para su madre, que no tiene más que atacar una de las notas altas en su escala de gritos para que su madre acuda corriendo a su lado, la tome en sus brazos y la apriete contra su corazón. Por lo menos, así es como iban las cosas hasta hace poco; la mamá estaba siempre cerca, y su hija tenía prioridad absoluta sobre cualquier otra persona o suceso que intentara desviar la atención de su madre. Pero ahora, recientemente, las cosas en casa parece que van cambiando, la pequeña observa y sospecha del cambio y quiere volver las cosas a su curso normal antes de que sea demasiado tarde. Su mamá la deja ahora sola ratos bien largos y se marcha sin previo aviso a la cocina o al jardín, sin que pueda saberse cuándo va a volver. El infalible recurso del grito en la escala aguda ya no parece traer resultados, y lo más que hace la mamá es venir un momento, decir cuatro palabras, hacer una caricia y marcharse otra vez enseguida a esas absurdas ocupaciones que dice que tiene. «¿No comprende que yo soy el trabajo más importante que tiene? ¿No cae en la cuenta de que no hay trabajo en la cocina o en el jardín o en ningún sitio que justifique el que me deje a mí sola cuando yo la necesito y la llamo? Y si no entiende eso, ¿no es tonta completa desde cualquier punto que se vea? Eso es lo que es, tonta de capirote, y eso es lo que yo he de proclamar a los cuatro vientos en cuanto sepa un poco de gramática y obtenga una audiencia. Mamá es tonta».

Ahí queda claramente delineada, en las blancas palabras de una niña inocente, la silueta primera de una relación de amor y odio, por fuertes que suenen las palabras. La niña ama a su madre, y no hablaría con esa libertad y espontaneidad si no estuviera segura de que sus palabras no van a alejar a su madre de ella, sino al contrario: la van a acercar en mayor cariño y ferviente cuidado. Pero, al mismo tiempo, la niña protesta, se queja, se duele. La niña se rebela ante la incomprensible e injustificable conducta de su madre, que la deja sola, y decide vengarse y herir al ser más querido, humillando a su madre en público con la palabra que en el incipiente vocabulario infantil denota la mayor ofensa, condenación y repulsa: tonta. Con eso ha hecho historia familiar y nos ayuda a todos a entender la situación con la intensidad de su sentimiento y la claridad de su expresión. Ese sentir ambivalente para con su madre ha echado ya raíces en su tierno ser, y será modelo para toda relación y sentimiento con los demás en larga vida y múltiples contactos. El tiempo de los sentimientos uniformes, si es que alguno existió, se ha acabado ya, y la vida es ya para esa querida niña, como lo es para cada uno de nosotros, esa mezcla mortificante y sorprendente que seguirá amenizando nuestras vidas por dentro mientras siga latiendo nuestro corazón sobre la tierra.

Si es cierto que la niña ha encontrado ese doble sentir en sí misma, no lo es menos que también lo había aprendido silenciosa y anónimamente de su madre. Su madre también siente para con ella esos mismos ambivalentes sentimientos, aunque ni la madre ni la hija se hayan dado explícita cuenta de ello, y el sentimiento de la madre ha impreso su huella en el sentimiento de la hija en la lección callada de la escuela en casa. La madre ama a su hija más que a nada en el mundo, se preocupa de ella y la cuida en los menores detalles con entrega total y cariño ferviente, y daría con gusto su propia vida por salvar a su hija si fuera necesario. Todo esto es verdad, y no hay palabras en ningún lenguaje que puedan expresar con justicia la profundidad y la intensidad del cariño de una madre hacia la hija de sus entrañas. Y al mismo tiempo, y junto con todo esto, también es verdad importante y real que la madre alberga en su seno un resentimiento insistente y profundo contra su propia hija, como le sucede con cada uno de sus hijos. La niña le ha traído felicidad, satisfacción, maternidad; pero también le ha quitado muchas cosas. Le ha quitado libertad de movimientos, independencia de acción, juventud orgánica y la alegre despreocupación que hasta ahora tenía. De ahora en adelante, la madre tiene que pensar ante todo en su hija a la hora de planear o proponer cualquier cosa. La maternidad ata, al tiempo que libera. Un llanto en la madrugada puede echar a perder el sueño de una noche, y una fiebre a destiempo puede hacer cancelar en el último momento un viaje preparado con ilusión. Y la madre cancelará el viaje y se levantará de noche a aplacar el llanto en respuesta espontánea que le dicta su instinto de madre, pero una nube oculta de incómodo malestar oscurecerá fondos lejanos en paisajes del alma. Los sacrificios se anotan y las vigilias se cuentan en los archivos de la mente. La protesta va aumentando y la rebelión se cierne. La actitud de la madre para con su hija es desde el principio la relación del «te quiero, te odio», y la hija la percibe, la refleja, la asimila, y reacciona para con su madre con el mismo sentimiento complejo que ha visto y sentido y adivinado en ella. La primera escuela de amor, que es el hogar, es escuela de sentimientos mezclados. La asignatura durará de por vida.

Una vez fui testigo de una puesta en escena bien clara de esta interesante situación. Esta vez no era la madre, sino el padre, el protagonista, junto con su hija de muy pocos meses. La impaciencia masculina del padre sirvió para acentuar la reacción, pero eso era sólo hacer visible lo que de manera más disimulada y oculta sucedía también en el subconsciente de la madre. El buen hombre llegó a su casa bien tarde, cansado del trabajo del día entero, y lo primero que hizo fue mirar dónde estaba su hija y dirigirse directamente a la cuna en que estaba durmiendo. Luego tomó a la niña en brazos, pero no con el gesto cuidadoso de quien no quería interrumpir su sueño, sino, al contrario, con saltos y sacudidas que bien pronto despertaron a la niña y no la dejaron seguir durmiendo. Me sorprendió esa conducta y pregunté: «¿Por qué haces eso?» Él contestó enseguida con abierta sinceridad: «Si duerme ahora, no dormirá por la noche y no me dejará dormir. Y yo necesito mi sueño, así es que la despierto ahora, y ya dormiremos todos juntos por la noche». Perfecta explicación. La bendición de ser padre no le quitaba la molestia de ser «canguro» honorario.

Por cierto, ésta es la razón por la cual yo siempre evito tener que despertar a nadie, por mucho que me lo pidan. Me excuso, me escapo o, simplemente, me niego a levantar a nadie de la cama por la mañana a la hora fija que hayan determinado. Lo piden como un favor, y me estarán agradecidos si yo me presto y los sacudo temprano a la hora exacta. O al menos eso es lo que dicen. En realidad, me darán, sí, las gracias efusivamente y con toda sinceridad por haberles hecho ese favor, pero por dentro, en el secreto de sus corazones, y en este caso de todo su maltratado cuerpo, se sentirán molestos por mi actuación y maldecirán mi entrometimiento. Sus palabras dirán gratitud, pero sus ojos soñolientos, su boca bostezando, sus pelos revueltos y su pesado andar proclamarán a voces su protesta por mi desconsiderada agresión. Todos albergamos un resentimiento oculto contra la persona que nos despierta, aunque nosotros le hayamos pedido que lo haga. Y yo quiero evitar, en cuanto me sea posible, recaudar puntos negros de las personas con quienes vivo. Que sea otro quien cargue con la inquina de aquellos cuyo plácido sueño interrumpe aun con la mejor intención del mundo.

De ordinario, son los padres los que han de despertar a diario a sus hijos por la mañana para que lleguen a tiempo al colegio. Lo hacen por su bien, qué duda cabe, aunque algunos niños dudarían qué bien les hace el colegio; pero, en todo caso, el cuerpo rechaza lo que la mente acepta, y el toque de diana es una opresión camuflada que engendra protestas también camufladas, y a veces sin camuflar, contra los solícitos padres, que sufren tanto como los hijos en el frío de la mañana. Mi opinión decidida es que el despertar a la gente toca a los despertadores. Para eso se inventaron. Y que sea el aparato quien cargue con el mochuelo.

A la niña de aquella casa no le permiten dormir cuando ella quiere. Pronto llegará el día en que tampoco le dejarán comer lo que quiera o cuando quiera o cuanto quiera. No le permitirán ir a donde quiera ni hacer lo que quiera. No le dejarán jugar con barro, andar descalza, comer dulces, chapotear en la lluvia. Las prohibiciones se acumularán a su alrededor, sin que ella llegue a entender a qué viene tanto lío. ¿Por qué ha der tener que comer a horas fijas, y sólo ciertas cosas, y sólo en ciertas cantidades, y sólo de cierta manera? ¿Por qué ha de ponerse calcetines y lavarse las manos y dejar que la peinen a tirones? Sus padres explican, con mayor o menor paciencia, que todo eso es para su bien; pero ése es un concepto demasiado abstracto para hacer mella en una inteligencia práctica. El hecho es que ella se ve privada de muchas cosas que desearía, y obligada a hacer otras muchas que detesta, y sabe que los responsables de esas desagradables órdenes son sus padres. Estas amargas experiencias dañan inevitablemente las relaciones entre padres e hijos en la mejor de las familias. No caer en la cuenta de esta situación es poner en peligro el verdadero bienestar de los hijos en el futuro.

En otro hogar, el papá y la mamá estaban discutiendo el futuro de su progenie, mientras yo estaba presente. También lo estaba la progenie, una encantadora niña de tres años que jugaba en un rincón del cuarto, con aparente olvido del mundo a su alrededor, mientras los padres conversaban. El tema de su conversación era una decisión que pronto habría de tomarse en aquella casa, a saber, a qué jardín de la infancia convendría enviar a la niña, ya que los buenos eran pocos y había que reservar plaza con mucha anticipación. Mientras los padres hablaban, yo miraba a la niña. ¿En qué pensaba? ¿Qué entendía? Los niños pueden ser pequeños, pero tienen oídos y cerebro y un agudo sentido que les avisa del peligro ante situaciones nuevas y amenazadoras. Y ésta era una de ellas. Papá y mamá estaban hablando de enviarla a ella a algún sitio fuera de casa, para ratos y temporadas largas, y al cuidado de una persona extraña. ¿Qué podía significar todo eso? ¿Qué complot se estaba urdiendo para desentenderse de ella? ¿Iban a ser verdad, por fin, todas las sospechas que ella venía albergando hacía tiempo sobre la extraña conducta de sus padres? La niña no tomó parte en la discusión ni dijo nada mientras sus padres hablaban; sólo al final, cuando nos levantamos y yo me despedía, ella se dirigió a sus padres y les dijo con voz dolorida: «¿Entonces me vais a dar a alguien allá afuera?» Herida despiadada en alma inocente.

Queda claro que la causa de tales sentimientos peyorativos en la familia no es ninguna conducta equivocada o malintencionada, y que nadie tiene la culpa ni debe atormentarse por hacer lo que hay que hacer, aunque esto produzca tensiones inevitables en la familia. Los padres tienen que enviar a su hija al colegio, y la niña tiene derecho a manifestar su sorpresa y su enojo y, así, ir aprendiendo la compleja trama de la vida humana. Y no nos engañemos tampoco: aunque los padres digan que ya se lo han explicado todo muy bien, y ella lo haya entendido y esté conforme, y ella misma lo diga y sea verdad..., una cosa son lecciones recitadas, y otra sentimientos escondidos. El dolor sigue y la oposición continúa. Y más peligrosa cuanto más escondida.

Lo negativo de la relación en amor y odio no se debe, de ordinario, a la mala conducta de quienes integran esa relación. No hay culpa de nadie. Es importante ver esto para limpiar la vista y aligerar la carga en el análisis de esta situación compleja y delicada. La palabra «odio» es tan fuerte que dudamos usarla, para otros y más aún para nosotros mismos, en el sagrado contexto de las relaciones familiares. Aclaremos conceptos. Se trata aquí de un sentimiento natural y espontáneo que surge sin culpa de nadie en el curso normal de la vida en familia. No conlleva condenación moral de ninguna clase ni es vergonzoso ni humillante; es un hecho normal con el que hay que contar, y el verlo así nos facilita precisamente el poder reconocerlo y expresarlo. Si ese sentimiento es peligroso, es por la tendencia que tenemos a ocultarlo a los demás y aun a nosotros mismos. Enfrentarse al problema es el primer paso para resolverlo.

Ahora el testimonio de una madre, una vez más en el ambiente distendido de una visita de cortesía. Ella había venido a verme para invitarme a un acto público, y se había traído a su hijo pequeño para no dejarlo solo en casa. Yo le sonreí al niño, a quien no parecía alegrar mucho mi presencia, y en un esfuerzo por normalizar las relaciones le pregunté: «¿Y cómo se llama este apuesto muchacho?» Antes de que él pudiera abrir la boca, su madre contestó por él con rápida violencia: «Se llama Satanás. ¿Para qué pregunta usted? No tiene más que ver cómo se porta». Yo me quedé de una pieza; el muchacho se echó a llorar, y su madre, repentinamente cambiada del odio al amor, lo tomó en sus brazos, lo apretó contra su pecho, comenzó a acariciarlo, a besarlo y a repetir con el acento más cariñoso que encontró en su voz: «No, no, tú eres mi hijo, tú eres un chico muy bueno, y tu madre te quiere mucho y nunca más volverá a decir una cosa así. ¿Verdad que me perdonas?»

Toda una escena. El cambio de escenario había sido tan rápido que parecía casi imposible que una misma persona hubiera representado papeles tan opuestos en transformación tan instantánea. Enfado y cariño, desprecio y ternura, insulto y alabanza. Trató de compensar con largas frases aquella palabra única, injusta y traidora. Satanás. El chico se serenó y se limpió las lágrimas. Pero no se olvidaría fácilmente del despiadado ataque ante un triste testigo. Y el cruel golpe, a su vez, haría saltar chispas de rebelión en sus propias entrañas. Algún día se sorprenderá a sí mismo diciéndole a su madre palabras hirientes que él mismo no sabrá decir de dónde salen, y se arrepentirá al instante, y volverá a afirmar su cariño y lealtad de por vida. Ambos quedarán perplejos ante la explosión inesperada, como hoy lo habían estado en la conflagración repentina en mi presencia. Si al menos de esta experiencia hubieran sacado la lección y aprendido a escudriñar su propio corazón y medir sus secretos, y hubieran seguido aprendiendo a lo largo de la vida en situaciones semejantes entre ellos y con otras personas, estarían mejor preparados para hacer frente a esas erupciones súbitas del odio en medio del amor, y podrían prevenir los accidentes y evitar las heridas. Cuanto antes aprendamos, mejor para todos.

EL TURBANTE DEL CAMELLERO

Entender la relación amor-odio, una vez que se ha definido, es engañosamente fácil. Pronto vemos que en toda relación hay sus más y sus menos; que cuanto más nos acercamos, más nos rechazamos también; que hay que aprender a estar a las duras y a las maduras; y en consecuencia nos acostumbramos a estos vaivenes de la afectividad sin darles mayor importancia. Pero el asunto no es tan sencillo como parece. Esos rasgos que con facilidad observamos tienen raíces profundas en nosotros mismos, demasiado profundas para poder ser estudiadas y controladas fácilmente. Más aún, pronto comenzamos a sospechar que esos estallidos de sentimientos dañosos no son acontecimientos aislados, sino como un subsuelo permanente que da base a todas nuestras reacciones, actúa a través de ellas y pone en peligro lo más importante de nuestras vidas, que son nuestras relaciones con los demás. A entender mejor la situación y explorar sus remedios nos ayudará observar el fenómeno en los demás, con objetividad distante e interés personal.

Los sujetos de nuestra observación han de ser con preferencia niños, ya que ellos poseen la inocencia y la espontaneidad necesarias para permitirse a sí mismos sentir lo que de veras sienten y expresarlo después con franqueza categórica. Más adelante, al adentrarnos en la vida, todos aprendemos a disimular nuestros sentimientos y censurar nuestras palabras, y la inmediatez de la experiencia se pierde en el refinamiento de las formas sociales. Los niños son testigos privilegiados de nuestros impulsos internos y exponentes imparciales de nuestras debilidades. He aquí el caso de uno de esos niños, sorprendente en la vehemencia de su mensaje y casi violento en el corte afilado de su expresión.

Estaba yo hablando con los padres de un niño en su casa, en presencia del niño, cuyos estudios y cuyo futuro eran precisamente el tema de nuestra conversación en aquel momento, mientras el niño jugaba con sus juguetes en la alfombra en medio de nosotros. Yo lo observaba disimuladamente para ver el efecto que nuestras palabras tenían en él. Al cabo de un rato de conversación, yo me volví hacia él y, con la idea de que él también tomase parte en la discusión que le afectaba directamente, le hice la eterna pregunta que todo niño ha de contestar mil veces desde que adquiere el uso de la palabra hasta que los adultos se hartan de él y paran de preguntarle: «¿Y tú qué vas a ser cuando seas mayor?» Él había seguido con todo cuidado nuestra conversación y contestó sin dudar un momento: «Yo seré médico». Esa respuesta reflejaba ya de por sí la atmósfera en que el chico vivía. En la lucha por la vida que le aguardaba, el ejercicio de la medicina era, según todos los indicadores del momento, la manera más segura de obtener empleo permanente y renta holgada, y en consecuencia sus padres habían expresado el deseo de que su hijo se hiciera médico, y él había cogido el tono con obediente entusiasmo. Todo habría ido bien si yo me hubiera parado allí, pero algo me hizo querer prolongar la entrevista, y pasé a hacerle otra pregunta sin sospechar por el momento el lío en que me metía y la violenta situación que iba a crear. Le pregunté al chico, con fingido interés que pretendió dar importancia a la pregunta en sí trivial: «¿Y qué vas a hacer cuando seas médico?» La respuesta vino rápida y definida, con palabras claras y tono cortante: «Cuando sea médico, les pondré una inyección a papá y mamá y los mataré». El papá y la mamá se rieron. Yo me reí. El niño no rió y siguió jugando con sus juguetes. La entrevista había terminado.

Nuestra risa forzada había encubierto nuestro desconcierto embarazoso ante el ataque inesperado. El chico sabía más acerca de la carrera de medicina de lo que sus padres se imaginaban. Ya no era sólo un escalón de prestigio social y emolumentos rápidos, sino un instrumento para deshacerse de sus padres. Una inyección, y asunto terminado. Había un toque de compasión en la fantasía del niño: la muerte indolora por inyección frente a la violencia sangrienta de un cuchillo o una bala. Pero el mensaje cruel era el mismo. El sueño favorito del muchacho era cómo matar a sus padres. La aguja del odio en el mismo corazón del amor. La sombra de la muerte en el hogar de la vida. Asesinato en la mente de un niño. Y asustada sorpresa de sus embobados padres. La revelación había sido tan súbita que nos había quitado la capacidad de reaccionar de alguna manera inteligente y neutralizadora ante el ataque insospechado, y ahogamos su mensaje en una risa incómoda. Pero el niño no rió. Él había dicho algo muy en serio, y lo sabía. Volvió allí mismo a sus juegos y a sus sueños. Un día, sí, llegará a ser doctor y, olvidado ya su negro sueño, pondrá en juego todos sus conocimientos y habilidad para ayudar a sus padres en cualquier problema de salud que les traiga la avanzada edad. Pero aquella aguja envenenada quedará siempre allá abajo, en el velado subconsciente, como amenaza permanente a su relación más íntima y como fuente oculta de intranquilidad, fricción y culpa. Aquí sí que hace falta un buen médico para sacar esa aguja de la mente y devolver la salud al niño y la felicidad a la familia.

No nos sorprendería tanto este incidente si nos acordáramos de las muchas veces y maneras en que hemos visto representadas escenas semejantes en casa tras casa, sin dar importancia a lo que, de hecho, sí que la tiene. Los casos son demasiados para catalogarlos. Un niño, con una pistola de juguete en la mano, se acerca a su padre por detrás, le apunta a la cabeza y grita con acento de triunfo: «¡Pum, pum! ¡Te maté!» La broma se clausura, de ordinario, con un gesto cansado, diciendo que ya está bien de tonterías, o haciéndose el muerto con estúpida obediencia, o, peor todavía, contestando con otro «¡Pum, pum!», o con una bronca, tronando que eso no se hace y que el demonio carga las armas descargadas y no hay que jugar con fuego. En lo que nadie se fija es en el sentido obvio y directo del ataque en escena. El chico está matando a su padre, dejando escapar en una explosión de violencia todos los negros sentimientos de enfado y de furia por las mil veces en que su padre le ha hecho hacer cosas que él no quería hacer y no le ha dejado hacer cosas que él quería hacer. Las quejas se suman, la pistola se empuña, y el sueño de un alma ultrajada pasa a la escena de la manera más sencilla que el muchacho ha aprendido cientos de veces en la pantalla del televisor. El gesto seguro, el gatillo rápido, y el humo en el cañón del revólver. Trabajo cumplido. La mente descarga su peso de odio. Y el ciclo vuelve a comenzar, anotando quejas y tramando muertes en escenarios domésticos.

Una niña pequeña le está rogando a su madre que la coja en brazos por mimo y por vagancia; pero su madre está ocupada, no puede auparla en este momento, y trata de explicárselo a la niña lo mejor posible, mientras ésta contesta sólo con sollozos y lágrimas. La niña se niega a comprender, se enfada, se enfurece y comienza a pegarle a su madre con los puños cerrados y con todas sus fuerzas, en un ataque desesperado de genio incontrolable. Sus manos infantiles no pueden herir físicamente a su madre, pero los golpes repetidos proclaman bien claro su mensaje sangriento. Odia a su madre. No se trata de razonar, de discutir, de recordar todas las cosas buenas y maravillosas que su madre ha hecho por ella y seguirá haciendo con cariño constante; todo eso desaparece por el momento ante el odio salvaje expresado a través de su acción más elemental. La pequeña niña está pegándole a su madre a la desesperada, con una violencia inaudita en sus pocos años. En cierto sentido, este desahogo le hará bien. Al exteriorizar su furia, se deshace de ella, y bien pronto volverá a abrazar a su madre y reposar en sus brazos como si nada hubiera pasado. El peligro está en que la madre —como todos nosotros, adultos, a su lado— descarte el feo incidente como una rabieta pasajera, y con eso se pierda la lección básica y el recuerdo oportuno de que todos tenemos emociones incontroladas dentro de nosotros, y que hay que descubrirlas, entenderlas y dominarlas si queremos comprender mejor la conducta de los demás y mejorar la nuestra.

Con mayor respiro, dado el buen humor de la broma, y con el mismo interés, oí una vez cómo una chica algo mayor contaba a su madre con alborozo rebosante lo bien que lo había pasado en el colegio aquel día. Con frases breves, por el ahogo de la respiración contenida, y gesto de acompañamiento festivo, iba diciendo a toda velocidad: «Sabes, hoy una de las profesoras no ha venido, y se nos ha presentado en clase la directora, y nos ha dicho que podíamos quedarnos solas en clase con tal de que no hiciéramos ruido, y se lo hemos prometido, y se ha marchado y nos hemos quedado solas, y ¿sabes lo que hemos hecho? Nos hemos puesto a criticar a nuestras mamás, y todas lo hemos hecho, una detrás de otra, y ¡nos hemos divertido más!, y el tiempo ha pasado sin pensar, y ha vuelto la directora, y nos ha felicitado por portarnos tan bien, y nos ha preguntado que qué habíamos hecho, y le hemos dicho que estudiar, y no le hemos dicho la verdad, pero ¡nos lo hemos pasado más bien, más bien!» Todo esto le contaba la niña a su mamá, y se veía que disfrutaba diciéndolo. La mamá no disfrutó tanto con el informe, y no preguntó sobre su contenido. Si la directora hubiera grabado la sesión de sus alumnas, podría haber suministrado puntos interesantes de reflexión para un grupo de madres cariñosas y sus despabiladas hijas.

En el Estado en que yo vivo en la India, la autonomía del Gujarat, el transporte de mercancías se hace en gran parte en carros tirados por camellos. Una casta especial de camelleros se encarga de los pacientes animales y de los largos, sólidos carretones con neumáticos que pueden verse en cualquier carretera avanzando cazachudamente al lado de coches y camiones, en mezcla feliz de tradición y modernidad. El camellero, de ordinario, viaja tumbado sobre la bien amarrada carga y duerme tranquilamente kilómetro tras kilómetro, mientras el camello avanza filosóficamente por el asfalto y mira con desprecio el ruido y los humos y las prisas del tráfico a sus pies. El camellero le delega al camello casi toda la responsabilidad del viaje, ya que el camello sabe perfectamente a dónde tiene que ir y lo que tiene que hacer, pero de vez en cuando el camellero ha de intervenir también. A veces le pone un bozal al camello para que éste no se coma la paja hacinada en el carro que va delante, le tira de las riendas ante un paso a nivel en rojo, o le fuerza a alargar la etapa para llegar a tiempo a un buen sitio en que pasar la noche. Todo eso está bien, y es necesario, y el camello lo sabe; pero no le gusta que se entrometan y le pongan bozales y riendas. Con eso se le van amontonando las querellas en la giba, y cuando llegan a un cierto nivel, el camello se enfurece, se vuelve contra su amo con dientes y pezuñas, y puede dejarlo hecho una lástima si se lo propone. Un camello enfurecido es algo de temer, y su dueño lo sabe. También sabe el remedio. La larga convivencia con su callado socio le ha enseñado a medir el nivel que van alcanzando las reclamaciones en las entrañas del animal y, antes de que lleguen al tope, se las ingenia para dar salida a la tensión sin daño para sí. Se quita el voluminoso turbante que lleva, símbolo de su casta y protección contra sol y golpes para su cabeza, y lo arroja a los pies del camello. Lo que tiene lugar entonces es un espectáculo digno de verse. El camello salta enfurecido sobre el turbante, en el que reconoce el signo y la representación de su dueño, lo patea, lo pisotea, lo destroza con sus dientes y lo reduce a un montón de trapos en el frenesí de una danza salvaje que trae a la memoria la danza cósmica del dios Siva para la destrucción del universo. Acabado el ritual, el camello se calma y vuelve a ser la tranquila, paciente, sufridora bestia de carga que seguirá paseando monótonamente los largos kilómetros de las carreteras indias. El camellero, que ha observado bien la juerga y sabe lo que significa, se compra un turbante nuevo y vuelve a emprender sus viajes como si nada hubiera pasado. Nada volverá a turbar la paz de la bestia y el hombre... hasta que haga falta otro turbante.

Se diría que la relación entre camello y camellero es también del tipo amor y odio. Y las mercancías circulan bien en el Gujarat.

EL CORDÓN ROJO

Las relaciones entre padres e hijos no son la única fuente de sentimientos encontrados en nuestra vida. Sin salir de casa, en el siguiente grado de parentesco cercano encontramos otra fuente abundante de confusión emocional: la relación entre hermanos y hermanas en la familia. La rivalidad fraterna es fenómeno bien conocido en psicología y experiencia, y denota el trato contradictorio de chicos y chicas con sus hermanos y hermanas desde el comienzo de su existencia. También aquí es evidente el cariño, los lazos de sangre, la mutua ayuda y defensa ante el exterior, las experiencias compartidas y los recuerdos conjuntamente atesorados. Pero también aquí hacen su aparición la fricción, la envidia y la rivalidad desnuda en la menos aceptable pero más real de las competencias, que es la competencia por ganar la atención y el amor de los padres.

La llegada al mundo de un pequeño hermano o hermana marca la primera gran crisis en la vida de un niño. Hasta ahora, él era el centro del hogar, el rey de la casa, el eje alrededor del cual giraba la vida entera de sus padres de día y de noche, el sujeto de atención preferente en cualquier momento y en cualquier necesidad. Y ahora, de repente, se acabó el romance. Se cambia el foco, se revocan los privilegios, y el trono queda vacante para el próximo inquilino. No es de esperar que al desplazado niño le caiga muy bien todo esto, y si sus padres no caen en la cuenta de ello, van a hacer aún más difícil el cambio de circunstancias para el hijo mayor.

Cuando un matrimonio a quien conozco bien tuvo su segundo hijo, enviaron a su hija mayor, que era una niña de dos años y medio, a casa de sus tíos en una ciudad cercana, para que pasase un mes con ellos, y así sus padres quedaran más libres para recibir al nuevo recién llegado con el debido cuidado y atención total. Cuando me enteré del arreglo, hice un comentario que a mí me pareció obvio: «La pequeña habrá sentido eso del mes de destierro». Ellos protestaron y me aseguraron que lo habían previsto todo y se lo habían explicado muy bien a la primogénita y la habían preparado perfectamente para aceptar la nueva situación de la familia. «Es una niña muy inteligente para su edad, y hemos hablado con ella con todo detalle. Sabe que viene un hermanito a casa, que es muy pequeño y necesitará nuestra atención constante los primeros días que esté en casa, como ella misma lo necesitó cuando era pequeña. Por eso es lo mejor para ella y para su hermano el que ella se vaya ahora por unos días, y ella lo ha visto así y se va muy a gusto y lo ha dicho bien claro. No habrá problemas».

Sí que los hubo. Al cabo de una semana, los tíos llamaron por teléfono desde su casa. La niña estaba inquieta, no tenía apetito, y en cambio tenía fiebre y no hacía más que hablar todo el rato de volverse a casa. Hubo que rescatarla al día siguiente, y llegó sin fiebre y con apetito, y con una ansiedad evidente por ver cómo habían cambiado las cosas en casa durante su ausencia, por asegurarse de que su puesto seguía seguro, y averiguar qué podía ahora esperar ella en las nuevas circunstancias. No es fácil adaptarse a un nuevo miembro en la familia, y el no ver esto puede resultar peligroso y dañoso. El conflicto puede suavizarse, la confianza perdida puede recobrarse, y todo puede arreglarse con la buena voluntad que todos tenemos, con inteligencia y con cariño; pero el primer paso para resolver el conflicto es reconocer que existe.

La psicóloga australiana Doris Brett, en su libro *Annie Stories* (Workman Publishing, New York 1988, p. 85), describe gráficamente la situación:

«De repente, una tarde, tu marido llega a casa. '¡Querida!', grita, '¡tengo una gran noticia!' '¿De veras?', respondes tú con ilusión. ¿Habrá encargado billetes para Acapulco? ¿O un escondrijo de luna de miel en Hawai? ¿O quizá una cita romántica en París? Esperas ansiosamente su respuesta. Ha de ser algo muy especial, porque está muy excitado. Nunca lo habías visto tan excitado desde el día que en os casasteis. ¿Qué podrá ser? 'Sí, querida', continúa, 'una gran noticia. ¡He traído a casa otra mujer!' Mientras tú tratas de recobrar el conocimiento, tu marido continúa: 'Como ella es nueva, va a necesitar todos mis cuidados, así es que la voy a poner en nuestro dormitorio, y tú puedes dormir en el salón. Estoy deseando que la veas. Es tan joven, tan tierna, tan delicada..., ¡te va a encantar! Como aún no sabe mucho, va a necesitar que yo le dé gran parte de mi tiempo, pero ya sé que eso no te importará; tú eres una persona ya muy madura y competente, y en realidad ya no me necesitas tanto. Te va a encantar el cuidarte de ella con todo cariño y compartir tus vestidos y amigos y perfumes con ella. ¡Sé que vas a adorarla! ¿No te emociona todo esto, querida? ¿Sí, querida? ¿Qué dices? ¿Querida? ¿Quer...? ¡Aaaargh!' ¿Entendido?»

Sí, entendido. La analogía es clara, y más aún viniendo de la pluma inspirada de una mujer. Un nuevo hermano es como una segunda mujer. El recién llegado es tenido como un intruso, y por ahí ha de empezar el tratamiento. Decirle al hermabo mayor que va a ser magnífico tener un hermanito, que así podrán jugar juntos, y que de seguro lo va a querer mucho desde el principio, no va a ayudar mucho a resolver el problema, sino todo lo contrario. Semejante enfoque, por más que común y corriente, no hace más que hacerle sentirse culpable al hermano mayor, ya que no puede corresponder al bello concepto que de él tienen sus padres y a lo que en concreto esperan de él. Un camino mucho más sabio es permitir la expresión verbal de la preocupación y el enfado, que así se neutralizarán en parte, al ser manifestados ante padres que entienden y aman, y con paciencia y habilidad pueden irse transformando en auténticos lazos de familia. Aceptar la realidad es la mejor manera de reducirla.

La tensión entre hermanos continúa a través de los años, en los que ellos buscan un tratamiento preferencial de parte de sus padres. Cada decisión de los padres a favor de uno le hará sentirse celoso al otro, y la inevitable fricción afectará a sentimientos y sucesos. Lo interesante aquí es notar que no es sólo la supuesta víctima la que puede ser presa de sentimientos de inferioridad, sino también, paradójicamente, su victorioso contrincante. No es difícil ver por qué. El niño que se ve preferido por sus padres a su hermano puede muy bien sentir por dentro que él le ha traicionado a su hermano, puede sentirse culpable y avergonzado, y si la situación se repite y él se convierte en el hijo favorito, puede creársele un verdadero complejo. La victoria puede tener efectos tan desastrosos como la derrota cuando se trata del sentimiento humano, que puede encontrar más difícil de digerir el triunfo sobre un pariente íntimo que su propia derrota.

El hecho es que esas punzadas pasajeras del odio no son las que llenan el alma, sino que quedan siempre rodeadas y amortiguadas y vencidas por el amor, que es mucho más fuerte; y por eso la malicia instantánea de querer aplastar a un hermano da lugar enseguida al pesar interno, al arrepentimiento y la pena por haber pisado su propia sangre. Esta reacción encarna el mensaje fundamental de esperanza que se esconde en medio del concepto y la experiencia de la relación de amor y odio. Nos dice, no tanto que hay odio en medio del amor, sino que hay amor en medio del odio, y que el conflicto más agudo puede resolverse y llevar a la reconciliación y mayor cariño, como de hecho sucede en la vida tantas veces. Lo que es importante es no olvidar el aspecto negativo, no intentar taparlo con excusas ni relegarlo al olvido. Si se intenta acallar así el sentimiento molesto, volverá a resurgir y a causar mayores daños cuando menos lo esperemos. Mejor es tenerlo bajo observación para poder neutralizarlo y curarlo.

Freud explica con argumentos prácticos esta transformación de la rivalidad en familia al amor entre hermanos. He aquí su análisis (*Psicología de las masas*, Alianza Editorial, Madrid 1984, p. 57):

«El hijo mayor suprimiría celosamente a su nuevo hermanito, alejándolo de los padres y despojándolo de todos sus derechos; pero ante el hecho positivo de que también este hermanito —como todos los posteriores— es igualmente amado por los padres, y a consecuencia de la imposibilidad de mantener sin daño propio su actitud hostil, el pequeño sujeto se ve obligado a identificarse con los demás niños, y en el grupo infantil se forma entonces un sentimiento colectivo o de comunidad que luego experimenta en la escuela un desarrollo ulterior. La primera exigencia de esta formación reactiva es la justicia y trato igual para todos. Sabido es con qué fuerza y solidaridad se manifiesta en la escuela esta reivindicación. Ya que uno mismo no puede ser el preferido, por lo menos que nadie lo sea. Esta transformación de los celos en un sentimiento colectivo entre los niños de una familia o de una clase escolar parecería inverosímil si más tarde y en circunstancias distintas no observásemos de nuevo el mismo proceso. Recuérdese la multitud de mujeres y muchachas románticamente enamoradas de un cantante o de un pianista y que se agolpan en torno a él a la terminación de un concierto. Cada una de ellas podría experimentar justificadísimos celos de las demás; pero, dado su número y la imposibilidad consiguiente de acaparar por completo al hombre amado, renuncian todas a ello y, en lugar de arrancarse mutuamente los cabellos, obran como una multitud solidaria, ofrecen su homenaje común al ídolo e incluso se considerarían dichosas si pudieran distribuirse entre todas los bucles de su rizosa melena. Rivales al principio, han podido identificarse entre sí por el amor igual que profesan al mismo objeto. Cuando una situación instintiva es susceptible de distintos desenlaces —como sucede, en realidad, con la mayor parte de ellas—, no extrañaremos que sobrevenga aquel con el cual aparece enlazada la posibilidad de cierta satisfacción, en lugar de otro u otros que creíamos más naturales, pero a los que las circunstancias reales impiden alcanzar tal fin».

Freud tenía sentido del humor, como lo evidencia este pasaje, y habría sonreído si hubiera contemplado la multitud en un concierto de rock y las escenas de devoción popular e histerismo puro que se repiten ante el ídolo roquero con predecible regularidad. Ve al género humano con realismo pragmático, y toma constancia de su capacidad para transformar una situación desfavorable en favorable. Es casi el antiguo consejo: «Si no puedes derrotarlos, ¡únete a ellos!» Este enfoque parecería suponer que el primer sentimiento es de hostilidad, y que sólo luego se convierte en amistad. Pero no parece haya de ser así. De hecho, más se ajusta al orden de las cosas y a la experiencia general el que el amor venga primero, tanto entre padres e hijos como entre hermanos. El primer sentimiento que se aprende por instinto y contacto, por atmósfera y entorno, es el de pertenecerse mutuamente, el de estar juntos, el de tener una relación muy especial con aquellos que viven en el mismo hogar. El niño ama a sus padres y a sus hermanos como reacción orgánica de la sangre de sus venas y el latir de su corazón. Sólo más tarde, cuando la misma cercanía engendre fricción, aparecerán los rasgos odiosos y se iniciará la contienda. Por eso es siempre posible —y aun fácil, teniendo en cuenta las circunstancias— volver al amor de un principio e intensificarlo al avanzar y madurar la vida.

Doris Brett, a quien cité al comenzar este capítulo, escribe en el mismo contexto:

«Quizá lo más sorprendente en las relaciones entre hermanos no es que tengan tanto de negativo, sino que tantos hermanos sean capaces de tocar sus relaciones con la piedra filosofal —ese transformador mágico que, según los alquimistas, cambiaba los metales en oro. De los tenebrosos sentimientos de celos, ambición, miedo y enfado sacan ellos altruismo, generosidad, apoyo mutuo, amor. Esa transformación no se hace por magia, desde luego. Requiere tiempo y esfuerzo de parte de los hermanos, y ayuda y comprensión de parte de los padres».

En la India hay una bella costumbre cuya práctica contemplo año tras año, aprendiendo cada vez un poco más acerca de la tradición y espíritu que representa. En la fiesta anual de *Rakshabandhan,* en el día de «Barev», cuando los bramanes renuevan su corazón sagrado, tiene lugar también otro rito en cada casa en que haya un hermano y una hermana de cualquier edad. La hermana espera a su hermano por la mañana, lo saluda y ata un pequeño cordón o cinta roja alrededor de su muñeca derecha. Después coloca su mano derecha sobre la cabeza de su hermano en gesto de bendición, y recibe con un abrazo y una gran sonrisa el regalo que su hermano le tenía preparado. Toda hermana que tenga un hermano en este mundo obedecerá el rito tradicional en ese día, y la cinta roja adorna en ese día las manos de todos aquellos hombres que tienen la suerte de tener una hermana. Si la hermana vive en otra ciudad, envía el cordón por correo con días de anticipación, para que su hermano no se vea privado de la bendición familiar. La mayor parte de los hombres se quitan la cinta al día siguiente, pero los que conocen las rúbricas y aman especialmente a sus hermanas mantienen la cinta hasta el festival de *Dassera,* cuando tiene lugar la otra ceremonia oficial para quitar la cinta. Hermanos y hermanas son el centro de estas dos importantes fiestas. Todavía hay una tercera fiesta, *Bhaibij,* que es el segundo día del año hindú, en la que el hermano come solamente la comida que le ha preparado y le sirve en persona su hermana; y si su hermana vive en otro sitio, el hermano irá a visitarla para comenzar el año con esa comida de bendición. Costumbres que recalcan cuán firme es el vínculo fraterno en la tradición india.

El pequeño cordón rojo atado a la muñeca es un signo de protección, casi un sello de propiedad que marca al hermano como objeto cercano del amor de su hermana, y así lo protege contra toda fuerza adversa en el mundo hostil. Es como el anillo del rey en el dedo del mensajero, que demuestra que es el enviado del rey, y que nadie puede tocarle, ya que eso sería una ofensa contra el mismo rey. La hermana, con el derecho que su feminidad, su belleza y su amor le dan al constituirla hada madrina en creación mágica, pone su sello sobre su hermano en señal de protección y bendición, al tiempo que su hermano, a su vez, jura que defenderá a su hermana en todas las circunstancias de la vida con su amor, su fuerza y su entrega. La cinta roja se hace símbolo y recordatorio del amor ideal que prepara al corazón humano con suavidad y firmeza para todos los demás amores y pruebas que constituyen la vida en sociedad. Las lenguas indias guardan un bello y práctico testimonio de este vínculo familiar entre hermano y hermana. El chico llama «hermanas» no sólo a las chicas de su familia, sino a todas las del pueblo o de su círculo de amistades, y la chica, a su vez, llama «hermanos» a todos los chicos que conoce, extendiendo así, en costumbre lingüística y en actitud social, al tratamiento entre jóvenes de ambos sexos el ambiente de la mayor intimidad y el mayor respeto como hermanos y hermanas en la familia común. Una curiosa consecuencia de este vocabulario, que demuestra de paso el poder de las palabras, es que el joven ha de buscarse novia fuera de su pueblo, ya que todas las chicas de su pueblo son sus «hermanas», y así, sea él o sus padres quienes le busquen compañera, ésta habrá de venir de fuera de los círculos hasta entonces frecuentados por el joven. Esta tradición ayuda a conservar la dignidad en las relaciones entre jóvenes de ambos sexos, amplía los horizontes del pueblo, al establecer lazos matrimoniales con otro pueblo, y une a comarcas lejanas en el afecto común a la nueva pareja. Y todo esto viene de un pequeño cordón rojo.

Un año, el día de la fiesta del cordón, los periódicos publicaron una noticia llamativa, puesta de relieve por una clara fotografía en primera página. Un hombre había sido asesinado en un pueblo hacía algunos meses, y el asesino había sido capturado, juzgado y sentenciado a varios años de cárcel, sentencia que se hallaba cumpliendo en la cárcel del lugar. En el día de la fiesta del cordón, la viuda de la víctima se había presentado en la cárcel y, con los debidos permisos, le había atado en la muñeca derecha el cordón rojo, en señal de perdón y reconciliación, al asesino de su marido. Se sabía a sí misma, en convicción y tradición, hermana de todos los hombres, aun del que había traído el dolor a su vida, y mostraba ahora con el ritual emocionado la generosidad de su corazón. Testimonio conmovedor del elevado ideal que convierte a todos los hombres en hermanos míos, y a todas las mujeres en mis hermanas.

Tan dentro me llegó al alma esta bella costumbre, cuando por primera vez tuve ocasión de conocerla en la India, que escribí un capítulo entero sobre ella en uno de mis primeros libros en la lengua del país. El capítulo se componía de dos charlas que había dado yo en aquella fiesta y sobre aquel tema, una en una residencia universitaria de chicos, y otra en una de chicas, público en ambos casos interesado, inteligente y conocedor de sus propias tradiciones. Era fácil hablar a aquellos muchachos que lucían todos en su muñeca derecha la cinta roja atada aquella mañana por una hermana cariñosa; y más fácil todavía hablarles a las chicas, que conocían el significado del rito y aceptaban su responsabilidad. No hay mejor argumento en la India, para animar a un joven o una joven a mantener la dignidad sexual en un mundo devaluado, que el recuerdo del lazo sagrado entre hermano y hermana, aprendido fiesta a fiesta y atado en rojo para firme memoria. Y luego, al final del capítulo en el libro, me permití una reflexión personal y cavilé que, como yo no había tenido una hermana en mi familia, me quedaba sin cinta roja en la fiesta, y tenía que aprender de otros las bendiciones que para mí quería. Era yo un recién llegado a la India cuando escribí eso, y había subestimado la capacidad de reacción de mis lectoras. Cuando, la vez siguiente, llegó la fiesta del cordón, me encontré en el correo con tantas cintas rojas que me habrían cubierto el brazo entero si hubiera intentado ponérmelas. Al no poder ponerme todas, no me puse ninguna; y luego, no sin sentirlo, pero sin tener otro remedio, tuve que suprimir aquel párrafo del final del capítulo en nuevas ediciones del libro.

Una vez sí que acepté personalmente un cordón rojo. Me hospedaba con una familia hindú cuando llegó la fiesta, y la chica de casa se acercó a su hermano para efectuar el rito. Yo observé y esperé. Había notado que la chica había traído en la mano no una cinta, sino dos, y sólo tenía un hermano. Cuando acabó con él, se volvió hacia mí y se quedó mirándome sin decir nada. Yo tampoco dije nada, y tan sólo alargué hacia ella mi brazo derecho hasta que mi muñeca estuvo a su alcance. Ella me ató la cinta. Yo iba a decir que no tenía preparado ningún regalo para darle; pero ella, que lo había previsto todo, me dijo audazmente: «Lo único que te pido es que no te lo quites hasta *Dassera*». Dije: «Prometido». Al día siguiente, fui a dar clase de matemáticas en la universidad, como siempre; y cuando me volví hacia el encerado para empezar a escribir ecuaciones con el brazo derecho extendido, noté un murmullo que calladamente recorría la clase. Los alumnos habían localizado la cinta roja en mi muñeca y se preguntaban quién me la podría haber atado. Les dejé sin respuesta en ese problema. La santidad de las matemáticas no puede ser empañada con consideraciones personales. Pero cumplí con la promesa dada, y lucí con fraternal orgullo la cinta roja de bendición casera hasta el día final. También yo necesito protección en este mundo difícil. Y me alegraba haber sido iniciado en la noble herencia cultural que extiende a todos los hombres y mujeres el tierno y puro vínculo de hermanos y hermanas en familia. Razón de más, para mí, para tratar de investigar, profundizar y purificar relaciones humanas, fuente de nuestro bienestar.

EL PAÑUELO BLANCO

Es revelador el que nuestros primeros ejemplos de relaciones de amor y odio hayan sido niños. Su inocencia social los hace transparentes y francos, aunque eso haga a veces sonrojarse a sus padres y divertirse a todos los demás. Todavía no han aprendido a ocultar sus sentimientos a los que les rodean, y menos aún a ocultárselos a sí mismos, como luego, desgraciadamente, harán con triste eficiencia y con pérdida de su vivacidad y espontaneidad. Aún son juguetones y despreocupados, y sus reacciones son fiel espejo de sus sentimientos.

Pronto perderán la inocencia. Esto se hace. Esto no se hace. Esto está bien. Esto está mal. Pórtate bien. Sé bien educado. Sonríe, en vez de hacer muecas. Da las gracias a la gente, aunque preferirías insultarla. Haz como que escuchas, aunque tu pensamiento esté en el otro hemisferio. Ponte la máscara. Juega el juego. Eso es lo que hacen todos, y ésa es la manera de sobrevivir en un mundo de lucha y competencia en el que no hay que dar ninguna información a nadie, para despistar a la competencia y conservar la supremacía. El secreto es el alma de los negocios, dicen los que de eso entienden, y cortinas de humo y claves electrónicas se usan universalmente en la guerra y en la vida. Que nadie sepa lo que pienso, para que nadie pueda poner obstáculos en mi camino cuando yo empiece a andar.

El problema de las cortinas de humo es que dañan por los dos lados. El humo que yo produzco se mete en mis propios ojos y, en definitiva, es mi visión la que se hace borrosa. Con no permitir a otros que me vean tal como soy, acabo por no verme yo a mí mismo, por no verme como de veras soy, por perder contacto conmigo mismo y, así, llegar a creer que soy muy distinto de lo que en realidad soy. Oculto a mi propia vista ciertos rincones oscuros de mi personalidad para evitarme el dolor de tener que verlos, y llego a pensar honradamente que, aparte de defectos congénitos y debilidades inevitables, no tengo grandes vicios ni fallos serios, como leo y veo que es corriente en los demás. Uno de esos rincones oscuros es la porción de «odio» en los sentimientos encontrados. Lo sé en teoría; pero, sinceramente, no creo que se me aplique a mí. Yo no odio a nadie, y menos a los que están más cerca de mí en afecto y gratitud. Sé que estas cosas les suceden a otros, y están catalogadas en los manuales de psicología; pero ése no es mi caso, y no veo razón para detenerme más en ello. Podemos dejarlo y olvidarnos de ello, y yo así lo prefiero.

Una joven vino a verme una vez y comenzó a hablarme de su situación. Venía de una familia muy respetable, era refinada y delicada, estaba preparando la tesis de doctorado en mi universidad, aunque en otra asignatura. Al hablar de sí misma, insistió en lo mucho que amaba a sus padres, a quienes tanto debía, y en cómo no podía negarles nada ni dejar de obedecerles en todo ni hacer algo que en manera alguna los disgustase. Es verdad que había surgido un pequeño conflicto que le hacía pensar mucho y sentir más: la negativa de sus padres a que se casara con el chico a quien amaba. Eso le dolía, desde luego, pero lo entendía perfectamente, y no podía ni quería en manera alguna hacer nada que los apenara, ni podía imaginárselo, ya que los quería tanto, y a ellos les debía todo lo que era y tenía. Ya le había dicho al chico que le era imposible continuar con él, ya que no podía casarse contra la voluntad de sus padres; había roto las relaciones y, aun con cierto dolor, se consolaba pensando que había hecho lo que debía, y se sentía feliz de haberles evitado esta pena a sus padres, a quienes tanto amaba y a los que debía todo lo que era y tenía.

Si yo me hubiera contentado con escuchar sus palabras, habría aceptado su razonamiento y me habría identificado con sus nobles sentimientos de resignación filial. Hablaba con calma, estaba sentada con dignidad y elegancia, se portaba con perfecta delicadeza y encantadora educación. Amaba a sus padres y había escogido en conciencia y libertad lo que a ellos les agradaba, ya que dar gusto a sus padres era para ella el valor más importante en su vida, mucho más que el seguir su propia inclinación. Eso es lo que ella iba diciendo, y eso es lo que sus palabras significaban. Pero, como hablaba despacio y se tomó un buen rato para contar su historia, yo tuve la oportunidad de pasear mi mirada por toda la habitación y su propia figura. Al cabo de un rato, mis ojos se fijaron en sus manos. Allí comenzaron a cambiar las cosas. Aquellas manos de fina manicura estaban representando toda una escena por su cuenta. Al entrar ella en la sala de visitas, se había sentado en una silla enfrente de mí, y yo noté que llevaba en sus manos un pequeño pañuelo blanco, como de hecho hacen muchas chicas, por razones que no he llegado a comprender, cuando vienen a hablar de sí mismas. Después, según fue hablando y adentrándose en su narración, sus manos comenzaron a ocuparse del pequeño pañuelo. Lo que le iban haciendo al pequeño tejido, bordado y pefumado, era algo digno de verse, y yo me puse a contemplarlo, primero con sorpresa divertida, y luego con creciente molestia e incomodidad. Ella le daba vueltas al pañuelo, lo retorcía, lo apretaba, lo anudaba, lo estiraba hasta hacerle perder la forma. Sus labios decían: «Amo tantísimo a mis padres...», y sus manos torturaban al pequeño cuadrado blanco con furia desbocada. «No puedo ni imaginarme que yo pudiera hacer algo que apenara a mis padres...», iba ella diciendo, y mientras tanto sus manos estrangulaban el pañueño indefenso en muerte ritual. Era penoso el ver y el oír. Manos delicadas en misión de verdugos. Y ella continuaba, sin que sus palabras cayeran en la cuenta de lo que estaban haciendo sus manos.

Sus palabras eran la expresión debida, contenida, refinada, de los sentimientos oficiales en tonos adecuados. No es que ella estuviese disimulando o tratando de ocultar la verdad de manera consciente. Ella decía lo que creía que sentía. Una hija cariñosa ha de ser obediente y agradecida para con sus padres, y ella se había entrenado en ser obediente y agradecida, y actuaba en consonancia. Es verdad que ella en el fondo odiaba a sus padres por no dejarle casarse con el joven a quien amaba, pero eso ella no podía decirlo, no podía pensarlo. No se podía permitir ningún sentimiento de oposición o rebelión contra sus padres, por muy justificado que éste pudiera parecer a un observador imparcial. Una joven bien educada no admite tales pensamientos, y ella era una hija modelo en una familia respetable. No protestaría. No permitiría que sus pensamientos y sentimientos anotaran protesta alguna; al contrario, se forzó enérgicamente a pensar pensamientos amables y sentir sentimientos cariñosos, y sus palabras, en consecuencia, reflejaban en lenguaje torneado la sumisa actitud que se les había mostrado. Eran palabras suaves, consideradas, devotas. Expresión dulce de un alma sometida.

Pero sus manos eran libres. La censura no había llegado hasta allí. Se habían librado de la vigilancia policial de la mente consciente. Se movían a su gusto, libres para expresar con sus delicados y largos dedos la verdad oculta del subconsciente original. Y lo hacían a conciencia. Torturaban, retorcían, estrangulaban. La voz seguía cantando su dócil monólogo, mientras por debajo las manos escapaban a la guardia y proclamaban silenciosa y eficazmente la agonía de su dolor. Contradicción viviente. La recatada doncella y el cruel verdugo, la suave cantinela y la furia desatada, la obediencia y la revolución. Una demostración a pantalla partida de los sentimientos encontrados que azotan al corazón humano.

Yo miraba la penosa escena con dolor en el alma. Dejé que siguiera su curso, que las palabras repitieran lugares comunes y que las manos administraran justicia. Al fin se hizo el silencio. Yo esperé todavía un rato, y luego dije con toda la ternura que pude apretar en mi voz, tratando de suavizar el golpe de la revelación inevitable con el cariño de un compañero en el sufrir: «¿Has caído en la cuenta de que lo que tú querrías hacerles a tus padres es lo que le estás haciendo a tu pañuelo?» Ella se miró a las manos, vio el trapo informe a que había sido reducido su pañuelo, abrió la boca en gesto de súbito horror y se echó a llorar. No hacía falta explicación ninguna. Sus manos habían hablado, y ella había entendido el mensaje. De hecho, lo sabía de siempre, pero había eliminado a la fuerza de entre sus recuerdos la admisión penosa del inadmisible rencor. Y esa violencia reprimida se había vuelto contra ella y la estaba dañando en el ser más íntimo de su alma delicada. El odio es veneno y, al no encontrar un drenaje limpio, se había acumulado en su interior y estaba marchitando antes de tiempo su juventud. La experiencia, en su dolor quirúrgico, le hizo bien. El pequeño pañuelo blanco le reveló su dolencia y la salvó de mayores daños. Quizá por eso es por lo que chicas jóvenes que vienen a tratar de sus asuntos suelen traer un pañuelo en la mano.

He aquí la pedagógica experiencia de una mujer inteligente en diálogo profesional con su psicoanalista (John).

«De repente una escena relampagueó en mi memoria, olvidada como estaba allí hacía veintiún años. Me encontraba sola en la calle junto a mi colegio. El viento helado de enero me salpicaba con el agua de los charcos de lluvia. Estaba esperando a que mi madre me recogiera, como de ordinario lo hacía, para llevarme a casa a almorzar. Ya había pasado y bien pasado la hora del almuerzo, y yo estaba allí todavía con la cara morada de puro frío. Una profesora pasó a mi lado, y me preguntó qué hacía en la calle: 'Mi madre me ha olvidado', le contesté, castañeteándome los dientes. Ella me llevó adentro. Allí averiguó que mi madre había telefoneado y dejado recado de que yo almorzara en el colegio, ya que ella no podía venir a buscarme. La recepcionista se había olvidado de avisarme. En compensación, me dieron un magnífico almuerzo con doble postre incluido. Pero eso no pudo quitarme la pena del corazón. Yo estaba convencida de que mi madre me había abandonado definitivamente. Volví a revivir toda aquella experiencia contándosela a John, mi psicoanalista. Y al ir hablando me sucedió una cosa extraña. Comencé a sollozar y no podía parar. Lloré como si estuviera ahora supliendo todas las lágrimas que no pude llorar aquel día al sentirme abandonada. Y las palabras que salieron de mis labios en medio de mi cólera y mi asombro fueron: '¿Por qué me odiaba ella? ¿Qué le hice yo para que me odiara de esa manera?' John me contestó suavemente: 'Tu madre no te odiaba'. 'Sí que me odiaba', insistí yo, 'mi madre me odiaba a mí, y ¡yo la odiaba a ella!'. Me paré aturdida. ¿Qué estaba yo diciendo? ¿Qué derecho tenía yo a revelar sentimientos que deberían quedar ocultos? Una niña buena no odia a su madre ni piensa que su madre la odia a ella. A las niñas buenas se les enseña a respetar a sus padres, no a contestarles o preocuparlos o hacerles sufrir. Además, yo no odiaba a nadie. Yo procuraba amar a todo el mundo. ¿Odio en mis entrañas? ¡Nunca! Y, sin embargo, ¿cómo podía explicar yo ahora, yo que siempre exigía una explicación para todo, que en un momento de descuido había revelado yo un dardo de odio que alguien me había clavado hacía tiempo y que había quedado vibrando en mis entrañas desde entonces?» (Lucy Freeman, *Fight against Fear,* The Continuum Publishing Company, New York 1988, p. 44).

Las niñas buenas no se oponen a sus padres y no hacen nada que les pueda ofender. ¿Odio en mis entrañas? ¡Nunca! Y, sin embargo, allí estaba. Hacía veintiún años. Enterrado bajo capas de paciencia, aguante, conformidad, buenos modales, respeto, dignidad. Tachado por la censura en las páginas de la memoria bajo el régimen autoritario de una disciplina rígida y una conducta ejemplar. Pero al mismo tiempo vivo y activo en las oscuridades del subconsciente, desde donde amarga y envenena todo pensamiento y sentimiento y acción, con tanta mayor eficacia cuanto mayor es el secreto de la fuente escondida de su malévola influencia. Todos llevamos dentro de nosotros tales recuerdos, resentimientos, odio formal; y al negarnos a reconocerlo nos hacemos daño a nosotros mismos con la impunidad que le otorgamos al enemigo disfrazado. Muchos malos momentos, muchas depresiones nerviosas, mucha irritabilidad sin causa aparente, muchas riñas fuera de toda proporción, tienen sus raíces ocultas en el subsuelo descompuesto de nuestras frustraciones olvidadas. Nos hacemos fuertes para dar la cara, para responder a lo que se espera de nosotros, para jugar nuestro papel en la vida, para ponernos la máscara y ajustar el velo ante nuestro rostro antes de que nosotros mismos podamos verlo en el espejo. Acabamos por creer en nuestra propia sonrisa y fiarnos de nuestra innata bondad. Tenemos nuestros fallos, desde luego, pero nuestro corazón es noble, y nuestros sentimientos dignos. Lejos de nosotros cualquier pensamiento vil o juicio mezquino. Somos ecuánimes en nuestras opiniones y cariñosos en nuestro trato. O así lo creemos. La realidad es bien distinta, y nuestra ceguera en no querer reconocerlo daña seriamente el equilibrio y salud de nuestras vidas. La censura mutila la información, y la información mutilada lleva a una conducta mutilada.

Suprimimos la palabra «odio» de nuestro vocabulario personal. Nosotros no odiamos a nadie. No hacemos semejante cosa. Si la otra persona es decididamente molesta, desagradable, repelente e inaguantable en general, podemos decir que nos disgusta, podemos evitarla, podemos criticarla, pero no se nos ocurre odiarla. No odiamos a la gente. Odiar no es cristiano, no es moral, no es educado; y cuando aceptamos con gratitud y responsabilidad el mandamiento divino de amar aun a nuestros enemigos y adversarios, nos alejamos para siempre de todo sentimiento o acción que tenga algo que ver con la pasión prohibida. No odiamos a nadie.

Es curioso, pero la desterrada palabra vuelve a aparecer en nuestra conversación, en busca de contextos más suaves, pero siempre con la tozudez de querer asegurar su presencia en nuestra mente y en nuestros labios. He oído a gente decir: «¡Odio la cebolla cruda!», «¡Odio los anuncios en televisión!», «¡Odio la lluvia!» Comprendemos que haya a quien no le guste oler la cebolla o aguantar la publicidad o soportar un chaparrón; pero la expresión excede en mucho a la molestia. Envuelve bien la cebolla, cambia de canal con sólo apretar una tecla en el mando a distancia, o toma un paraguas y ábrelo cuando llueve. De acuerdo que puede ser algo molesto, pero nada que justifique, en esas situaciones como en otras, la condenación última del odio formal. Sin embargo, allí está. La palabra ha quedado archivada en nuestro ordenador personal, como el sentimiento ha quedado albergado en nuestro corazón; y como se encuentran desterrados de los contextos serios en la vida, se asoman a ocasiones más ligeras para compensar por su ausencia y no perder del todo el contacto. La palabra continúa en nuestro vocabulario, porque el sentimiento aún anida en nuestros corazones.

He aquí una página de *El loco* de Khalil Gibran, trágica en su realismo y casi cruel en su brevedad. La titula *Las sonámbulas*, y es como sigue:

«En mi ciudad natal vivían una mujer y su hija, que caminaban dormidas. Una noche, mientras el silencio envolvía el mundo, la mujer y su hija caminaron dormidas hasta que se reunieron en el jardín, envuelto en un velo de niebla.

Y la madre habló primero: '¡Al fin!', dijo. '¡Al fin puedo decírtelo, mi enemiga! ¡A ti, que destrozaste mi juventud y que has vivido edificando tu vida en las ruinas de la mía! ¡Tengo deseos de matarte!'

Luego, la hija habló en estos términos: '¡Oh mujer odiosa, egoísta y vieja! ¡Te interpones entre mi libérrimo ego y yo! ¡Quisieras que mi vida fuera un eco de tu propia vida marchita! ¡Desearía que estuvieras muerta!'

En aquel instante cantó el gallo, y ambas mujeres despertaron. '¿Eres tú, tesoro?', dijo la madre amablemente. 'Sí; soy yo, madre querida', respondió la hija con la misma amabilidad».

El sueño revela los secretos de la mente. Las brutales palabras se pronuncian a cubierto de la noche. La pesada carga se levanta por un momento, y el subconsciente respira un instante. Pero canta el gallo, y el velo vuelve a correrse. La oscuridad arrecia en las tumbas del tiempo.

Si llegamos a vivir lo bastante, la vejez vuelve a traer una segunda infancia, y algunas de nuestras inhibiciones de toda la vida se borran, y controles que pasaban por permanentes se aflojan al fallar la memoria, debilitarse la fuerza de voluntad y soltarse los vínculos de la autodisciplina con el ocaso progresivo de las facultades conscientes. Así es como la avanzada edad llega a recuperar la inocencia de la infancia, y la censura que ha durado una vida entera se levanta en su último tramo. Eso explica cómo sentimientos de odio, sentidos y expresados libremente en los primeros años de la vida, y reprimidos luego en aras de la buena educación y la moral, vuelven a salir a la superficie en la vejez, con dura expresión que asombra y entristece a los que presencian la explosión, y con frecuencia a la misma persona que la protagoniza. El escritor uruguayo Eduardo Galeano cita un ejemplo significativo de su propia experiencia en su obra *El libro de los abrazos* (Siglo XXI Editores, Madrid 1989, p. 220). Bajo el título *La abuela,* describe un incidente real en la vida de una persona a quien conoció bien.

«La abuela de Bertha Jensen murió maldiciendo. Ella había vivido toda su vida en puntas de pie, como pidiendo perdón por molestar, consagrada al servicio de su marido y de su prole de cinco hijos, esposa ejemplar, madre abnegada, silencioso ejemplo de virtud: jamás una palabra de queja había salido de sus labios, ni mucho menos una palabrota. Cuando la enfermedad la derribó, llamó al marido, lo sentó ante la cama y empezó. Nadie sospechaba que ella conocía aquel vocabulario de marinero borracho. La agonía fue larga. Durante más de un mes, la abuela vomitó desde la cama un incesante chorro de insultos y blasfemias de los bajos fondos. Hasta la voz le había cambiado. Ella, que nunca había fumado ni bebido nada que no fuera agua o leche, puteaba con voz ronquita. Y así, puteando, murió; y hubo un alivio general en la familia y en el vecindario».

He conocido casos como ése en mi propia experiencia, demasiados, por desgracia, para considerarlos casos aislados. Santos hombres y santas mujeres de acendrada virtud y vida modélica que, al llegar a edad avanzada, pierden por pura decadencia de neuronas el control férreo que había sostenido sus firmes caracteres, y ante la angustia de quienes los oyen y de la suya propia dejan escapar una corriente de lenguaje proscrito que parece no acabar nunca. Una vez me encontré a un santo y venerable sacerdote que estaba haciendo eso exactamente mientras se apoyaba como podía en la puerta entreabierta de su cuarto en la enfermería de ancianos. Había tenido todos los cargos más altos de rector, superior, provincial y todo lo posible, yendo de uno a otro sin parar desde que acabó sus estudios hasta el final siempre retrasado de su vida activa. Quizá, pensando en ello, las mismas tensiones que hubo sin duda de experimentar en el ejercicio de sus cargos de gobierno tensaron sus nervios, probaron su paciencia y cargaron de resentimientos un pecho acostumbrado a guardar secretos. Los sentimientos, por negros que fueran, estaban seguros en los archivos personales del religioso ejemplar. Toda su vida había sido considerado como un modelo vivo de las reglas y costumbres de la orden; era puntual, abnegado, devoto, hombre de oración, de fe, de estudio, desprendido, generoso, perseverante, entregado. La imagen del religioso perfecto. Como tal, fue siempre honrado y venerado por todos los que lo conocían o vivieron bajo su dirección o, simplemente, oyeron de él a sus muchos admiradores. Y su reputación lo acompañó a dondequiera que fue en su larga y variada carrera. Todo habría ido bien si hubiera fallecido a tiempo. Hasta en los años de su última inacción por edad había conservado su dignidad, sus costumbres impecables y su postura siempre edificante, mientras las canas realzaban la ejemplaridad de su vida. Pero vivió un año de más. Algo falló, un año antes de su muerte, en los férreos controles de su disciplinada vida. Se levantó la tapa del cofre de los secretos. Se le soltó la lengua, y los resentimientos y despechos y resquemores acumulados a lo largo de toda una vida comenzaron a fluir como marea negra de ingentes proporciones. Yo había oído lo que le había pasado al santo anciano, y un día, sin sospecharlo, fui yo mismo víctima del ataque sorpresa. Me vio él desde un extremo del largo pasillo a que daba su cuarto, me hizo señales con la mano de que viniera y, cuando me acerqué, me agarró de la camisa con una mano, mientras con la otra se apoyaba en la puerta abierta, y así descargó la emboscada verbal. Comenzó a decir con voz agriada y rostro contorsionado: «Ya sé lo que todos queréis, desentenderos de mí, ¿no es verdad? Pero no lo lograréis. No voy a morirme tan pronto como esperáis. Tendréis que seguir cuidando de mí y de mis achaques, por mucho que os pese. Bien sé que me odiáis por las cosas que tenéis que hacerme ahora; pero también yo os odié a vosotros toda mi vida por lo molestos que erais todos para mí. Anda, ve y díselo a todos: tengo buena salud y todavía me vais a tener por aquí una buena temporada, y he de consumar mi venganza obligándoos a cuidaros de mí en todas mis necesidades como yo hube de aguantaros a todos vosotros y vuestras estupideces a lo largo de toda mi vida».

Yo escuchaba con una mezcla de compasión, pena y asombro. Aquel gran hombre había acumulado tanta porquería en su controlada y reprimida memoria a lo largo de tantos años que al final el dique había reventado, y no había quien parase la inundación. Los sentimientos encontrados habían estado allí en su interior toda la vida; los buenos sentimientos se habían anotado y aceptado con gratitud y humildad, mientras que los malos habían sido enterrados y olvidados con enérgica virtud. Tal era la formación severa de aquella recia generación. El sistema resultó algún tiempo, pero al final los nervios fallaron, y el secreto se destapó. No se trataba en manera alguna de culpabilidad personal en aquel hombre que tan fielmente había seguido las tradiciones de su tiempo; era solamente fatiga orgánica en las neuronas de su cansado autocontrol. La pena fue inmensa en todos los que lo habíamos conocido en sus días de grandeza y contemplábamos ahora la desintegración penosa de una gran personalidad. Los sentimientos menos dignos habían estado en él toda su vida, pero con ignorarlos y archivarlos había preparado, sin saberlo, el trágico despliegue de sus últimos días. Se paga caro el olvidarse de una mitad de lo que somos.

No estoy diciendo todo esto para exponer las debilidades de los grandes o revelar los desvíos de sus últimos días. Lo digo, pura y simplemente, porque no quiero que eso me pase a mí. No quiero reventar de viejo, si es que llego a serlo; y, aunque no llegue a viejo, no quiero ir por la vida con la triste carga de resentimientos escondidos y odios secretos. Quiero limpiar rincones, barrer debajo de la alfombra, ventilar quejas, confesar envidias. Quiero enfrentarme a la mezcla que llevo dentro, a la bestia y al ángel, al fiel compañero que soy y al mezquino traidor que también puedo ser, al bienhechor de todos y al orgulloso tirano: que todos esos caracteres están dentro de mí, y bien lo sé yo. Si me enorgullezco de conocer el amor, también he de admitir que cedo al odio. Sólo si ventilo mi casa a tiempo, puedo evitar ahogarme en mi propio humo cuando ya sea demasiado tarde. No quiero morir maldiciendo.

«DECIDLE A ALGUIEN...»

La importancia de las relaciones en nuestra vida es que ellas son las que, literalmente, nos dan forma y figura. Llegamos a este mundo con un bagaje hereditario que nos marca direcciones de crecimiento y límites de desarrollo. Ésa es la materia prima sobre la que trabajan los acontecimientos y circunstancias que vamos encontrando. Esas situaciones son las que afirman nuestras posibilidades, dirigen nuestro curso, encienden nuestros deseos y los llevan a su meta... o al fracaso, según el caso. Influencias externas que también tienen mucho que decir sobre lo que, de hecho, hacemos y la clase de personas que llegamos a ser. Herencia y entorno son los dos grandes factores que moldean la vida.

Entre los factores externos, el principal son las personas. Nacemos dentro de la historia y de la sociedad, y tanto la historia como la sociedad están compuestas de hombres y mujeres con sus ideas, sentimientos, sueños y prejuicios. Todo eso se nos comunica a nosotros a través de gesto y palabra, de conversaciones íntimas o de publicidad universal. Padres y parientes, maestros y predicadores, amigos y conocidos se nos acercan, tratan con nosotros y dejan su marca en nuestro ser con sus palabras y su ejemplo, su consejo y su crítica, sus opiniones y sus chismes. Todo cuenta, todo influye, y la clave de mucho de lo que hacemos y pensamos más tarde en la vida ha de buscarse en la influencia temprana de quienes teníamos a nuestro alrededor. La lista de las personas cercanas a nosotros en los varios períodos de nuestra vida es esencial para llegar a entender nuestra propia biografía.

Como nuestra personalidad es variada y compleja, necesitamos también distintas personas en nuestra vida que respondan a esos distintos aspectos de nuestro carácter. Podemos encontrar a un amigo con quien discutir ideas, mientras que otro puede ser un buen compañero de juego, pero no se presta a intercambios ideológicos de ningún tipo. Una amistad puede ser más afectiva, otra más entretenida, una tercera más cerebral. Nos gusta bromear con algunos amigos y ser más serios con otros. De hecho, una buena manera de medir la cercanía de una amistad es ver cuántos aspectos cubre, cuántas facetas de nuestra responsabilidad quedan reflejadas en ese amigo, en cuántas circunstancias de la vida buscamos su compañía. Somos muchas cosas para mucha gente, y cuantas más cosas seamos para un individuo en concreto, más cercano estará él a nosotros, y nosotros a él. El amigo ideal cubre toda nuestra vida con su afecto, comprensión, paciencia, silencio, conversación, compasión, crítica, apoyo, con su compañía en juegos y viajes, su solicitud cuando estamos enfermos, su eco en alegría cuando reímos. Cuantos más aspectos de nuestra vida podamos compartir con una misma persona, más íntima será la amistad; y como no es fácil encontrar esa respuesta universal en un solo individuo, abrimos más el abanico de nuestra amistad y ofrecemos rasgos distintos a gente distinta que responde a ellos; y así, entre todos completan el círculo de intimidad que necesitamos para nuestro bienestar y felicidad. Sabemos que tenemos distintos rostros, y nos complacemos en enseñárselos a quienes saben apreciarlos con respuesta sincera.

Suena el teléfono. Lo tomo y pronuncio suavemente la solitaria palabra, «¿Sí?», con tono neutral que cubra cualquier origen de la incógnita llamada sin comprometerme a mí mismo ni revelar mi identidad. Cuando la otra persona se identifica, o yo la reconozco por la voz, reacciono inmediatamente con claridad abierta y digo, según quién sea la persona con quien ya sé que hablo: «Soy Carlos», o «el Padre Carlos», o «el Padre Vallés», o «Carlos González Vallés». Me defino desde el principio de manera distinta, de acuerdo con la persona a quien me dirijo; y el tono de voz, el giro de la frase, la elección de palabras y la velocidad a que hablo varían según pienso en la cara de la persona que me habla al otro lado de la línea. Soy muchas cosas para mucha gente, y mi teléfono lo sabe.

El mejor caso de mi experiencia telefónica es el de un antiguo obispo de mi diócesis. Él mismo contestaba el teléfono, ya que en su sencillez y pobreza no tenía secretario, y fuera quien fuera el que llamaba, el obispo contestaba invariablemente y siempre con el mismo tono las mismas palabras: «Éste es el 24717». Ése era su número. Su posición oficial no le permitía preferencias, distinciones o cercanías de ninguna clase ni a nadie, y así él decía su número y señalaba su distancia. No podía decir: «Soy el obispo», en una ciudad hindú donde casi nadie sabe qué es un obispo; y tampoco podía dar su nombre con familiaridad cuando quien llamaba podía ser un católico que no esperaba tal camaradería de la más alta autoridad de la diócesis. Así que el número impersonal era la respuesta adecuada. 24717. Múltiplo de 7. Expresión imparcial del amor igual del pastor universal para con todas las ovejas de su grey. Él había asumido desde un principio su personalidad oficial, y la vivía con lógica ejemplar.

Otra anécdota telefónica que viví en cierto país africano, donde me encontraba en una gira de charlas a las comunidades indias allí establecidas. Observé que cuando el teléfono sonaba en cualquiera de sus casas, o cuando yo mismo llamaba de una a otra, las primeras palabras que pronunciaban en el aparato, antes de haber tenido tiempo de escuchar nada desde el otro lado, eran siempre en su propio lenguaje indio. No esperaban llamadas de «extraños», y hablaban desde el principio en su propia lengua, sabiendo que la respuesta también vendría en el mismo idioma. Esa práctica demostraba el aislamiento social del grupo extranjero en el país lejano y la consiguiente definición de la personalidad en términos adaptados a la limitada situación.

El teléfono es sólo un ejemplo. Cada rostro, cada saludo, cada carta, cada encuentro saca una carta diferente de nuestra baraja, toca una cuerda distinta en nuestro instrumento, provoca una respuesta distinta en nuestras palabras. Nos encontramos a nosotros mismos en el contraste y la interacción con todas las personas con que nos encontramos en la vida, sobre todo las que están más cerca y nos acompañan más tiempo. Las relaciones humanas son el cincel que labra nuestra imagen en la vida.

Esto también quiere decir que, si no hay cincel, no hay estatua. Sin relaciones humanas no hay personalidad. O, a lo más, una personalidad basta y tosca. Falta de amistades es aislamiento, distancia, soledad. Esa existencia de desierto puede ser interesante por una temporada, pero a la larga rinde sólo dunas y arenas. Cierta tasa de soledad es inevitable en la vida humana y puede incluso contribuir a la formación de nuestro carácter en la fragua de la severa existencia. Es notable que dos Premios Nobel de literatura en nuestros días tengan como obras principales dos libros con la palabra «soledad» en su título y en su argumento: *El laberinto de la soledad,* de Octavio Paz, y *Cien años de soledad,* de Gabriel García Márquez. Octavio paz escribe:

«La soledad es el fondo último de la condición humana. (...) Todos nuestros esfuerzos tienden a abolir la soledad. Así, sentirse solos posee un doble significado: por una parte, consiste en tener conciencia de sí; por otra, en un deseo de salir de sí. La soledad, que es la condición misma de nuestra vida, se nos aparece como una prueba y una purgación, a cuyo término angustia e inestabilidad desaparecerán. La plenitud, la reunión, que es reposo y dicha, concordancia con el mundo, nos esperan al fin del laberinto de la soledad» (Colección Popular, Madrid 1990, p. 237).

Podemos decir en paradoja que el arte de vivir consiste en atravesar el inevitable laberinto de la soledad... en buena compañía. La soledad nos llegará sin que la busquemos. En medio de la multitud y en la oscuridad de la noche, en el ruido de una fiesta y en el silencio de un paseo mañanero. Estamos solos, y lo sabemos, aun cuando estemos discutiendo nuestra soledad con alguien que se siente tan solitario como nosotros mientras seguimos hablando. La estrategia ahora es redimir la soledad con el encuentro, el monólogo con el diálogo, el punto aislado con la esfera universal del cosmos. Encontrar la dimensión social de nuestras vidas en medio de nuestra invicta individualidad. Llegar a la circunferencia sin abandonar el centro. Ampliar horizontes sin perder la perspectiva del punto de vista. Verificar, en pensamiento y en acción, que para ser nosotros mismos hemos de encontrarnos con otros, y para crecer en plena estatura necesitamos la compañía de todos aquellos que crecen con nosotros y con nosotros forman el denso bosque de la sociedad humana.

El aislamiento deforma a la persona. Conlleva pérdida de contacto con la realidad, pérdida de apoyo y censura de los demás, pérdida de oportunidades para examinar la ruta y corregir la dirección. Y si el aislamiento se prolonga, el daño puede ser irreparable. La comunicación rota o que nunca llegó a establecerse permanece rota; cuanto más tiempo pasa, más difícil se hace sanar la brecha, y el aislamiento se endurece, se confirma y se sella para siempre. Cuando el mal llega hondo, echa raíces de por vida y ahoga a la persona. No dejan de verse casos así a lo largo de los caminos de la vida.

Sin juzgar (y menos aún condenar) a nadie, con pleno respeto a las decisiones e idiosincrasias de cada uno, y reconociendo que en todo caso un carácter torcido puede albergar un alma de pura ley, me acuerdo aquí, sin nombres ni lugares, de casos que he conocido en los que un largo aislamiento afectivo ha traído el dolor, la deformación y la frustración a las víctimas del síndrome y a todos cuantos por ellos se interesaban. Eran personas que vivían entre otros, desde luego, en medio de un grupo, de la sociedad, de una vida de reuniones y contactos y trato diario en vida corriente; pero, por alguna razón que nadie ni ellos mismos nunca supieron, o sin razón alguna, se distanciaron afectivamente, levantaron aduanas, se retiraron a una soledad práctica y evitaron contactos. Quizá fue una timidez inicial, fricciones tempranas, desconfianza, miedo, deber mal entendido, pereza afectiva o avaricia de tiempo. Algo pasó que hizo tomar una actitud, proyectar una imagen, reforzar una conducta, adquirir un hábito. Y el solitario se hizo pública y oficialmente solitario. Sin amigos, sin afecto, sin intimidad. La postura hierática del individuo autosuficiente. Al distanciarse él de los demás, los demás también se distancian de él, y se consuma la separación. Se mueve en sociedad, pero sin pertenecer a ella, sin mezclarse con ella o ser afectado por ella. La falta de diálogo desequilibra su pensamiento, y la falta de contraste nubla su visión. Conozco a algunas tales personas que, no careciendo de dotes intelectuales y formación profesional, se dedicaron a escribir y publicar con conocimiento y autoridad. Pero su fallo se destapó. Quienes los conocían y los leían se sorprendían con dolor de cómo podían haberse rebajado hasta el cinismo en sus argumentos y la mezquindad en sus juicios. Expresiones penosas en medio de investigaciones sabias. Retoños espinosos de raíces amargas. Tristes borrones sobre papel inocente. Vidas nobles en su origen, torturadas ahora en su desarreglo funcional por el desgaste del aislamiento prolongado. Importante recuerdo para todos de la absoluta necesidad de amistades verdaderas y relaciones sociales para desarrollarse con normalidad, equilibrio, prudencia y salud. Sin los demás no podemos llegar a ser nosotros mismos.

Eduardo Galeano, antes citado, recoge en el mismo libro una anécdota gráfica de la soledad a que llegan algunas personas:

«A veces, al fin de la temporada, cuando los turistas se iban de Calella, se escuchaban aullidos desde el monte. Eran los clamores de los perros atados a los árboles. Los turistas usaban los perros, para alivio de la soledad, mientras duraban las vacaciones; y después, a la hora de partir, los ataban monte adentro, para que no los siguieran» (p. 172).

Imagen melancólica de soledad mutua. Un noble animal como compañero para resarcir por la falta de calor humano en la vida. La persona que no ha encontrado consuelo en otros seres humanos busca refugio en la fidelidad y lealtad del dócil animal. Respeto por toda clase de vida, aprecio del papel irremplazable de los animales en el jardín de la creación, preocupación ecológica por su bienestar y agradecimiento por sus servicios son valores positivos que hay que realzar y fomentar para el bien de todos los seres sobre la tierra. Pero un perro nunca puede sustituir a un amigo humano. Una mujer me dijo señalando a su perro: «Mi perro nunca me fallará; las personas sí que me han fallado». Con esa frase justificaba su apego hacia su perro y su retirada de todo trato humano. Crítica aguda, y no del todo inmerecida, de la manera despiadada con que a veces nos portamos con aquellos que llamamos amigos, y justo reconocimiento de la primera virtud del mejor amigo no humano del hombre. Pero todo eso no justifica la huida de una persona al destierro afectivo. Un hombre casado me dijo: «Cuando vuelvo a casa, estoy seguro de encontrarme con un recibimiento caluroso de parte de mi perro, pero no siempre de parte de mi mujer». Tal vez fuera verdad; pero si eso le llevara a buscar la compañía del perro en detrimento de la de la esposa, el marido no haría más que hacerse daño a sí mismo y a su familia. La verdadera respuesta, tanto para el marido desilusionado como para la mujer traicionada del otro ejemplo, no está en retirarse del trato humano y dedicarse a los perros, sino en analizar las razones que llevaron al conflicto existente, en examinarse a sí mismos y descubrir los posibles fallos personales que habían provocado reacciones poco amigas en los demás, en aceptar los límites de la realidad y caer en la cuenta de que, aun así, la compañía de una persona amiga es mucho más consoladora, en intercambio de pensamientos y encuentro de sentimientos, que la del animal más encantador. Los turistas hacen mal en atar los perros a los árboles; pero el fallo original era el haberse encariñado con ellos como fácil sustituto temporal del afecto humano, y haberlos así llevado también a ellos a que les cobrasen afecto sabiendo perfectamente que al final de la temporada los iban a abandonar. Soledad anual que había llevado a aquella gente a una conducta indigna de la raza humana. La solución está en la reconciliación con la sociedad y la vuelta a tiempo a su trato de persona a persona. No queremos el dolor y la vergüenza de los aullidos nocturnos en la falda de la montaña de la estación veraniega de moda. Perros inocentes como víctimas injustas de la soledad humana.

El mismo escritor cuenta otra experiencia, aún más conmovedora, de soledad humana:

«Fernando Silva dirige el hospital de niños en Managua. En vísperas de Navidad, se quedó trabajando hasta muy tarde. Ya estaban sonando los cohetes, y empezaban los fuegos artificiales a iluminar el cielo, cuando Fernando decidió marcharse. En su casa lo esperaban para festejar. Hizo una última recorrida por las salas, viendo si todo quedaba en orden; y en eso estaba cuando sintió que unos pasos lo seguían. Unos pasos de algodón: se volvió y descubrió que uno de los enfermitos le andaba atrás. En la penumbra, lo reconoció. Era un niño que estaba solo. Fernando reconoció su cara ya marcada por la muerte y esos ojos que pedían disculpas o quizá pedían permiso. Fernando se acercó, y el niño lo rozó con la mano. 'Decidle a...' susurró el niño. 'Decidle a alguien que yo estoy aquí'» (p. 58).

El niño está enfermo, está marcado de muerte; peor aún, está solo. Completamente solo. Y es Nochebuena, y él lo sabe. Nota las primeras sombras que anuncian el comienzo de la noche sagrada. En esto, oye pasos en el pasillo y sale con la esperanza de encontrar compañía en la fiesta de todos. Es tímido y delicado y no quiere molestar a nadie. Sólo un ligero tacto de su mano infantil, un débil murmullo, una súplica inocente. Por favor, avise, informe, dígale a alguien...; pero ¿a quién decirle? No hay ningún nombre en su memoria, ningún pariente en su vida, ningún apoyo en su soledad. Por favor, dígale..., dígale a alguien. No importa a quién. No importa dónde. Basta con decirle a alguien que yo estoy aquí. La gente aún tiene corazón, y alguien vendrá. No van a dejar solo a un niño en la noche en que nace Jesús. Solo y con la muerte en el rostro. Solo en el blanco pasillo del hospital de niños. Solo mientras los cohetes festivos explotan en el cielo. El niño está enfermo, y su enfermedad se llama soledad. La enfermedad de la raza humana.

Nos conmueve ver la soledad de otros, y este sentimiento nos puede ayudar a luchar contra la soledad en nosotros mismos, en vez de encubrirla con el disfraz de un carácter fuerte y un aguante firme. Hay quienes presumen de su capacidad de vivir solos, de arreglárselas por su cuenta, de ser independientes, de no necesitar compañía, ayuda, cariño. Incluso lo llaman a eso hombría y poderío. En realidad es todo lo contrario. La hombría y el poderío verdaderos son necesarios, no para quedarse solo, sino para salir ante los demás, para abrirse a los de fuera, para fiarse de extraños, para aventurarse al diálogo y la amistad y el amor. Soledad es debilidad. Y muestra su vacío al derrumbarse sobre sí misma en aislamiento rígido y estéril.

Un mercader árabe iba de oasis en oasis montado en su camello, vendiendo sus mercancías a quien quisiera comprarlas, y aceptando a cambio los alimentos y ropa que necesitaba, pero no admitiendo la compañía de nadie. Solo vivía y solo viajaba. Decía que le bastaban sus pensamientos y su camello, y con sus pensamientos y su camello iba de lugar en lugar, siempre solo y satisfecho en apariencia con su vida encerrada en sí misma. Un día escogió un sitio aislado para su descanso nocturno bajo el cielo abierto y se echó a dormir sin preocupación alguna, ya que tampoco tenía necesidad alguna. Sin embargo, al despertar por la mañana, se encontró con que su camello se había marchado calladamente y lo había abandonado. El camello era más sabio que su dueño. Y los narradores de cuentos árabes tienen un claro sentido del humor.

LA DANZA DE LOS PUERCOESPINES

La interacción de los polos opuestos de intimidad y soledad en la vida del hombre es manifestación abierta de la polaridad amor-odio en el corazón humano. El solitario odia a la humanidad y muestra su rechazo en su huida de toda verdadera compañía humana. El amante, por el contrario, se acerca y fomenta el contacto directo con otras mentes y otros corazones en encuentro entre personas. El amor y el odio se revelan en las distancias que marcan entre personas que saben que han de vivir juntas, pero que luego pueden escoger el hacerlo así solamente en apariencia externa o en compañía auténtica y real. Distancias afectivas trazan el mapa de nuestra personalidad.

Tales distancias existen, de manera más encubierta y sutil, en todas nuestras relaciones, y ejercen su influencia sobre ellas fijando el grado de cercanía y señalando, con sus cambios evidentes, los avances y retrocesos, las crisis y las reconciliaciones que tienen lugar en todo tipo de relación viva. Humores y talantes cambian, y cuando no se trata de un individuo aislado, sino de dos en mutua compañía, acortan y alargan la distancia entre ambos en un ballet atrevido y fascinador de artística belleza y amable confusión. La distancia afectiva entre dos personas nunca es la misma, y sus variaciones día a día, hora a hora, momento a momento, constituyen el gozo y la desesperación de la más intensa emoción del ser humano, que es el amor. El sentido de la distancia es quizá la habilidad más importante y más olvidada en el arte de vivir en compañía.

Hoy no está ella de buen humor. No la abrumes con tu jovialidad a destiempo. Evítale el trago. Y, para evitárselo, cae antes en la cuenta de que no está el horno para bollos. Con razón o sin ella, no se encuentra ella en este momento a la altura de tus genialidades; y si tú te ciegas y te empeñas en que responda a tu burbujeante entusiasmo, lo único que conseguirás es disgustarla, estropear el encuentro o provocar una riña. Espera. Tienta el camino. Mide tus pasos. Aprende a leer rostros, a interpretar miradas, a medir distancias. Hay ratos para una conversación animada y ratos para un silencio respetuoso. Hay ocasiones de carcajada abierta y ocasiones de diálogo discreto. Hay intimidad y hay reserva. Hay momentos para acercarse y momentos para guardar distancia. Y quien sabe distinguir estos momentos es sabio amigo y digno compañero. Atender a las distancias es condición esencial para crecer en la amistad.

Dicen los entendidos de la tauromaquia que el sentido de las distancias es cualidad esencial del buen torero. Cada toro tiene su distancia, y en entenderla pronto y ajustarse sabiamente a ella está el secreto de la faena justa. Si la distancia entre toro y torero es excesiva, el toro no embiste y no hay faena; y si, en cambio, el torero se le echa encima al toro y no le da distancia, no hay lugar para el pase, y sí lo puede haber para la cornada súbita. Hay que saber, ver y medir. No sólo cada toro tiene su distancia, sino que el mismo toro a lo largo de la faena va cambiando de distancia, y ese ajuste preciso y constante, que el buen torero hace con instinto certero y exactitud valiente, es lo que mantiene el interés, el arte y la emoción hasta el último momento, en que la distancia se elimina entre el puño decidido y el hoyo de las agujas, y el torero que sabe su arte «toca pelo» en sentido literal y en sentido taurino.

Oreja y vuelta al ruedo. (Este párrafo no aparecerá en la edición inglesa de este libro, por incompatibilidad racial).

Schopenhauer propuso a este respecto la célebre parábola de los puercoespines ateridos:

> «En un crudo día invernal, los puercoespines de una manada se apretaron unos contra otros para prestarse mutuo calor. Pero, al hacerlo así, se hirieron recíprocamente con sus púas y hubieron de separarse. Obligados de nuevo a juntarse por el frío, volvieron a pincharse y a distanciarse. Estas alternativas de aproximación y alejamiento duraron hasta que les fue dado hallar una distancia media en la que ambos males resultaban mitigados» (*Parerga und Paralipomena,* 2.ª parte, XXXI, *Gleichnisse und Parabeln*).

Cerca y lejos. Frío y pinchazos. Calor y compañía. Los torpes movimientos de la banda de puercoespines son figura e imagen de las divertidas evoluciones de los seres humanos en el invierno de la vida. Sentimos frío y nos agrupamos movidos por la necesidad común. Pero estamos llenos de púas y espinas y agujas y aristas, y pronto nos hacemos daño unos a otros, nos molestamos y nos herimos. Somos descuidados, descorteses, aburridos y groseros. Criticamos, fastidiamos, provocamos, insultamos. Quizá ni caemos en la cuenta de que lo hacemos, pero sí caemos perfectamente en la cuenta de que otros nos lo hacen a nosotros, y entonces, para evitarnos los pinchazos y para darles una lección a los que nos pinchan, nos retiramos del grupo y declaramos que podemos vivir solos en regio aislamiento. No nos dura mucho el destierro. El frío de la soledad nos hiela los huesos, y pronto buscamos compañía con recalcitrante arrepentimiento. Esta vez no nos acercamos tanto. No nos fiamos de la gente. Vigilamos con cuidado las puntas de sus púas. Y continúa el juego. La incierta multitud sube y baja, oscila y tiembla, se une y se separa, hasta que se logra un equilibrio efímero, y hombres y mujeres presumen que han aprendido a vivir en sociedad. En realidad, no hacemos más que jugar a puercoespines.

Freud, que cita la parábola de Schopenhauer, la comenta a su manera:

«Conforme al testimonio del psicoanálisis, casi todas las relaciones afectivas íntimas de alguna duración entre dos personas —el matrimonio, la amistad, el amor paterno y el filial— dejan un depósito de sentimientos hostiles que precisa, para desaparecer, del proceso de la represión. Este fenómeno se nos muestra más claramente cuando vemos a dos asociados pelearse de continuo, o al subordinado murmurar sin cesar contra su superior. El mismo hecho se produce cuando los hombres se reúnen para formar conjuntos más amplios. Siempre que dos familias se unen por un matrimonio, cada una de ellas se considera mejor y más distinguida que la otra. Dos ciudades vecinas serán siempre rivales, y el más insignificante cantón mirará con desprecio a los cantones limítrofes. Los grupos étnicos afines se repelen recíprocamente; el alemán del Sur no puede aguantar al del Norte; el inglés habla despectivamente del escocés, y el español desprecia al portugués. La aversión se hace más difícil de dominar cuanto mayores son las diferencias, y, de este modo, hemos cesado ya de extrañar la que los galos experimentan por los germanos, los arios por los semitas y los blancos por los hombres de color. Cuando la hostilidad se dirige contra personas amadas, decimos que se trata de una ambivalencia afectiva, y nos explicamos el caso, probablemente de un modo demasiado racionalista, por los numerosos pretextos que las relaciones muy íntimas ofrecen para el nacimiento de conflictos de intereses. En cambio, es innegable que esta conducta de los hombres revela una disposición al odio y una agresividad a las cuales podemos atribuir un carácter elemental» (*Psicología de las masas*, Alianza Editorial, Madrid 1984, p. 39).

Poco después de leer el libro de Freud, tuve ocasión de ver la famosa película «El cartero siempre llama dos veces», y me divertí al ver en la pantalla la representación viva de lo que el psicólogo había descrito en su ensayo. Cora y Frank, la heroína y el héroe en la galopante película, se están besando en un momento con toda el alma, y al momento siguiente están tramando el uno el asesinato del otro, también con toda el alma. Y vuelta a los besos y vuelta a la trama de asesinato, hasta que la película acaba en sorprendente final. La danza de los puercoespines en un *pas de deux* de realismo artístico y patético.

Pero fue otra idea la que más me llamó la atención en el texto de Freud. Era su referencia a súbditos que se quejan contra sus superiores, y su interpretación de esta conducta como una manifestación de la relación de amor y odio. En el trabajo o en la política, en la familia o en la vida religiosa, los que están arriba saben muy bien que son el blanco de constantes críticas, cotilleo, chistes y oposición más o menos disimulada. El estar a las órdenes de alguien, por más que esta persona sea excelente en su carácter y administración, engendra resentimiento, y las agudas miradas de muchos ojos pronto encontrarán las grietas en el carácter del jefe, y las lenguas afiladas se aprestarán a ridiculizar al personaje público, por elevado que sea. De un cierto superior religioso, de indudable inteligencia y bondad natural, se decía que él era el mayor vínculo de unión de todos sus súbditos en un vasto territorio, ya que, por muy distintas y opuestas opiniones que tuvieran en sus trabajos, todos ellos eran unánimes en criticar a su común superior.

Yo sospecho que las quejas de religiosos contra sus superiores, que de ordinario son competentes en su gobierno y siempre actúan con la mejor intención, pueden muy bien ser un disfraz subconsciente de su rebelión interna contra Dios, que no se atreven a expresar directamente, y la desvían hacia aquellos que representan a Dios ante los hombres. Y sabios y pacientes superiores se someten caballerosamente al ataque verbal para proteger la imagen de Dios ante su pueblo escogido, y aceptan como dirigidas a ellos las quejas que los fieles, en su sufrimiento, no se atreven a dirigir más allá. Pienso tratar de nuestra relación de amor y odio con Dios en otro capítulo, cuando estemos mejor preparados para enfrentarnos a esa realidad y podamos sacar fruto de ella.

La danza de los puercoespines no es de una vez para siempre. Con cada grupo y con cada persona (como con cada toro, según he dicho), la distancia cambia de momento a momento, y hacen falta ajustamientos constantes para conservar el calor sin llegar a pincharse. El no hacer esto puede dar al traste con la mejor de las relaciones, y a veces para siempre. No hay mayor equivocación, en cosas de amistad, que fijar el grado de intimidad con un amigo y acudir luego a cada encuentro con la misma medida. Las púas del puercoespín no dejarán de ponerse de punta y hacer su trabajo. Peligra la piel.

Una vez falleció la esposa de cierto personaje conocido en mi tierra que me honraba con su amistad. En cuanto oí la noticia, fui a su casa en persona a darle el pésame. Me recibió con amabilidad, más de apreciar en el dolor del momento, e incluso se sentó a mi lado un rato en su repentinamente solitaria y vacía morada. Yo sentí un gran deseo de mostrar mi pesar, que era hondo y sincero, y me puse a hablar. Me equivoqué en eso. En la India no se habla en las visitas de pésame. El visitante llega, se sienta, permanece inmóvil y en silencio un rato discreto, hace una profunda inclinación y se va. No se pronuncia palabra alguna donde las palabras no sirven para nada. Yo conocía la etiqueta, pero, en mi deseo de compartir la pena, la pasé por alto y me puse a hablar de la admirable mujer que había sido el alma de aquella casa, con su presencia sonriente, su infalible servicialidad, su exquisita hospitalidad, su larga, sufrida y secreta paciencia ante una profunda enfermedad que, según los médicos, tenía que haberle causado graves dolores que ella nunca reveló. Tanto hablé que el afligido marido, ya viudo, se sintió obligado a responder, y también él habló y me describió con acentos cortados las últimas horas de la mujer que había sido el alma de su vida hasta aquel instante, demasiado cercano para ser recordado sin volver a desgarrar la herida reciente. Por fin callamos, pero yo seguí allí sin moverme. Otros vinieron y se fueron entre tanto, pero yo quedé fijo en mi puesto, no acertando en mi torpeza a encontrar el momento de levantarme. Llegué a ser el único visitante en la sala, rodeado solamente del peso del dolor. Había oscurecido ya cuando, por fin, me levanté, me incliné y me marché. Y sentí que mi salida había sido un alivio para la casa. Yo había prolongado mi visita demasiado tiempo. Había violado la intimidad. Había traicionado la amistad. Salí con el dolor contrito de culpabilidad afectiva. Había dañado a una amistad que suponía mucho en mi vida. Él era demasiado delicado para decirme nada, pero yo llevaba a cuestas mi desconcierto. A cuestas he llevado ese recuerdo a través de los años, ya muchos y ya más allá de la muerte de este mismo amigo, y aquí ha asomado ahora como ejemplo doloroso de una distancia mal medida. Aquel día me acerqué demasiado y apené a un amigo. Nunca lo he olvidado.

En otra ocasión estaba yo guardando cama por una súbita enfermedad. Un amigo mío vivía al otro lado de la calle, y le envié recado con la seguridad de que no perdería tiempo y se presentaría inmediatamente a mi lado. Pero no apareció. Pasaron varios días, largos y lentos para mí en la soledad de las sábanas blancas; pero ni rastro de mi amigo. Pensé que estaría fuera de la ciudad y por eso no podía venir. Cuando ya estaba levantado y en plena convalecencia, se presentó de repente un día en mi habitación, todo sonriente, con un cono de helado en cada mano, de la marca y el sabor que él sabía me gustaba. Resultó que sí que había estado allí, al otro lado de la calle, que había recibido mi mensaje y sabía que yo estaba enfermo, pero no se había apresurado a venir. Yo estaba para entonces lo suficientemente restablecido para reaccionar enérgicamente, y pasé a hacerlo de la manera más convincente. ¿Era ésa la manera de tratar a un amigo? Sabía que yo estaba enfermo, había recibido mi nota y se había quedado tan tranquilo. Otros conocidos, mucho menos cercanos en amistad a mí de lo que él estaba, habían venido a verme esos días, algunos a diario, y aun otros desde fuera de la ciudad; mientras que él no se había movido. ¿De qué sirve un amigo si desaparece cuando más falta hace? ¿Cómo iba yo a fiarme de sus sentimientos en el futuro si, cuando yo estaba enfermo, no se había molestado ni en cruzar la calle para venir a verme? Me había dolido, y se lo hice saber de manera que no dejó lugar a dudas. Él se puso a pensar y dedujo que había dado tanta importancia a la libertad de nuestras relaciones mutuas que no quería sentirse obligado a venir, y por eso había desoído mi ruego. En no querer sentirse obligado tenía toda la razón, y yo se la di, pues para mí también la libertad mutua es elemento esencial en toda amistad duradera; pero el querer afirmar su libertad le había llevado demasiado lejos, hasta el punto de que mi enfermedad ya había pasado cuando él llegó, y eso, en mi dolorida opinión, era sacar las cosas de quicio y llevar a sus límites la tolerancia de la mejor amistad. Él había guardado demasiada distancia cuando mi necesidad y mi ruego pedían a gritos una mayor cercanía. Yo le sugerí irónicamente que cuando estuviera yo en el lecho de muerte podía retrasar él su visita hasta el funeral, para demostrar así su libertad. También yo puedo ser mordaz cuando quiero. Cuando acabamos el asalto, el helado se había derretido en sus manos, aunque aún podía comerse. Me lo ofreció, pero lo rechacé. Quizá hice mal en eso, pero así fue como acabó el incidente, y no quiero suavizarlo al contarlo. Y también esa visita se grabó en mi memoria, y ha salido hoy a la superficie al pensar en el papel que la distancia juega en la amistad y el amor. Sólo añadiré que la vehemencia de mi reacción revelaba precisamente lo mucho que la amistad de aquel hombre suponía para mí, ya que no me habría molestado en reaccionar tan violentamente si no me hubiera importado su amistad. Eso quedó bien claro para mí y para él, y nuestra amistad salió fortalecida de aquella tormenta imprevista. Eso bien merecía perderse el helado favorito.

Se trata de una pura ley de física. Si la órbita del satélite es demasiado cercana a la tierra, perderá altura rápidamente y se quemará en la fricción de la atmósfera, o se estrellará contra la superficie de la tierra; y si es demasiado alta, se escapará por la tangente y se perderá para siempre en las profundidades del universo. Somos satélites unos de otros, y damos vueltas y más vueltas en la delicada geometría de las esferas celestes. Y aun las órbitas de los planetas son elípticas; a veces más cerca y a veces más lejos, pero nunca a la misma distancia. Los cuerpos celestes conocen sus leyes y adivinan sus mutuos talantes, con lo cual se acercan o se alejan según las estaciones, la masa y la velocidad, y así se mantienen los cielos con el juego siempre distinto y siempre igual de sus miríadas de galaxias. Sabiduría cósmica que bien puede inspirar nuestra propia astronomía privada.

Un dicho de los indios americanos: «Que haya un río entre ti y la manada de bisontes; y un bote para cruzar el río». Los bisontes son un peligro y han de mantenerse a distancia tras la frontera de las aguas en curso; pero los bisontes también son caza necesaria para alimento y vestido, y un bote ha de estar siempre a punto para poder acercarse a ellos. Todos necesitamos el río y la barca, la distancia protectora y el contacto oportuno. Y, con ello, el instinto adivino para saber cuándo ocultarnos y cuándo aparecer. También las personas son peligro amenazador y agradable compañía. El indio bien curtido conoce el momento exacto para cada actitud.

De bisontes salvajes a búfalos de agua. Durante muchos años, hasta que crecientes necesidades urbanas trajeron edificios y calles a nuestra felizmente salvaje vecindad, un gran estanque de poca profundidad se formaba justo debajo de mi ventana durante toda la estación de las lluvias monzónicas. Era la cita favorita para los mansos búfalos, que abundan en nuestra ciudad y nos proporcionan toda la leche que bebemos, y que disfrutaban con la tierna hierba y se revolcaban en el barro fresco con ese gusto voluptuoso por los placeres terrenos que caracteriza a los cachazudos animales. Con frecuencia observé la curiosa simbiosis, célebre en la India y puesta en escena al pie de mi ventana, entre dos socios desiguales del mundo animal: el cuervo negro, de presencia inevitable en todo el país, y el enorme búfalo echado en la hierba con suprema indiferencia a todo lo que pasa alrededor suyo. El descarado cuervo se posa sin miedo en la espalda del búfalo, y allí se queda impunemente mientras le parece bien. Al búfalo no parece importarle. De hecho, hay un pacto secreto entre ambos. El cuervo busca y devora los insectos que han establecido su hogar en la amplia espalda del paciente herbíboro, limpia sus orejas de huéspedes inoportunos y lustra la piel lisa de su presumido cliente, obteniendo a cambio una suculenta comida de menú variado en un local escogido. No es extraño que el contrato resulte bien, y así cuervos cabalgando a lomos de búfalo son ornamento corriente de los paisajes indios. El problema viene cuando el cuervo prolonga demasiado su estancia en la espalda de su anfitrión. El búfalo es un animal muy paciente, pero a veces también él llega a cansarse de tanto picar y escarbar y saltar y rascar, y prefiere quedarse con algunos insectos en la piel antes que aguantar demasiado las molestas excavaciones del cuervo hambriento. El búfalo no hace uso de la violencia para despachar a su pesado socio, pero tiene su sistema para anunciar el límite de su paciencia, y pude observar muchas veces el estudiado procedimiento desde la seguridad de mi ventana. Cuando el búfalo se harta, se levanta despacio sobre sus cuatro patas y avanza lentamente hacia el barro y el agua, con el cuervo todavía a la espalda. Se mete en el agua, cada vez más hondo, dejando que las pequeñas olas le acaricien los flancos y vayan subiendo poco a poco. Cuando llega al punto que él conoce perfectamente en profundidad y nivel, dobla primero las patas delanteras y luego las traseras, hasta que todo su cuerpo queda sumergido bajo el agua. El cuervo no es amigo del agua y, al subir la marea, no tiene más remedio que abrir las alas, batirlas perezosamente y emprender el vuelo. Se acabó el banquete para el cuervo, y comienza la tranquilidad para el búfalo, que se queda en el agua sacando sólo la cabeza a nivel de superficie, con una sonrisa casi humana de satisfacción en su cómico hocico. Puede estar orgulloso de la operación.

Un cuervo inteligente sabe cuándo venir y cuándo marcharse. Si quiere conservar el contrato, debe aprender a detectar y respetar el talante de su socio. De hecho, dicen que es siempre el mismo cuervo el que se asocia con el mismo búfalo, aunque es cosa que no he podido verificar. A mí todos los cuervos me parecen iguales. Como también me parecen iguales todos los búfalos.

¿USTED ME MIRA?

La comunicación es el alma de toda relación. Y se está convirtiendo en un arte olvidado en una edad en que los medios de comunicación nos están enseñando a no comunicarnos. La palabra «comunicación» se ha hecho un término técnico, y en el camino ha perdido su contenido, su sentido, su vida. Las lenguas indias ofrecen una larga lista de palabras para tratar del hecho y la experiencia de la comunicación personal y social; pero, cuando se necesitó un neologismo para uso profesional, los expertos se inventaron una nueva palabra: *«pratyayan»*. Pregunté a varias personas en la sala de profesores de la universidad qué significaba la palabra, y nadie me lo supo decir. Comenté: «Para decir 'comunicación' se han sacado una palabra que no comunica». Esa palabra es ahora el título de una revista mensual sobre la materia. Me pregunto cuántos suscriptores tendrá...

Rutina diaria en cada hogar: abramos el buzón de la entrada y examinemos el contenido que ha depositado allí el cartero. Hay anuncios, avisos, correspondencia bancaria, catálogos de compras, información del gobierno, noticias del ayuntamiento, impresos variados, y apenas alguna carta personal, algún mensaje privado, alguna comunicación íntima. Nos inunda un diluvio de páginas impresas con atractivos colores y tipos de imprenta variados, pero sin alma, sin rostro, sin contacto, y sufrimos con la sequedad de la palabra impresa, que nos ataca sin piedad humana. Se acabaron las cartas de amor, la correspondencia prolongada entre amigos, la misiva cuidadosamente redactada, la respuesta literaria para el corresponsal y para la posteridad. Hasta ahora, todas las literaturas podían enorgullecerse de poseer volúmenes de cartas de grandes escritores cuyas ideas, elegancia, estilo y gusto literario hacían incluso de su correspondencia privada una obra de arte que merecía y obtenía público reconocimiento. Dentro de poco, si queremos publicar los mensajes privados de cualquier figura pública, todo lo que tendremos serán los impresos mecanizados de sus ordenadores personales o las cintas de sus dictáfonos. Frustrada herencia para la posteridad.

El teléfono está reemplazando rápidamente al correo. Y ahora ya el contestador automático está reemplazando al teléfono. Hay pocas experiencias más irritantes que marcar un número de teléfono esperando escuchar una voz amiga desde el otro lado, sólo para caer en la cuenta, a las primeras palabras, de que quien está contestando es una máquina. Está usted hablando con el contestador automático del número tal. Si desea usted dejar un mensaje, puede usted empezar a hablar después de oír los tres pitidos. Claro, y si desea usted estrellar el teléfono, también puede hacerlo en protesta contra el interlocutor desaparecido. El aparato no se molestará. Seguirá repitiendo su enlatado mensaje cada vez que usted lo ponga en marcha, siempre con las mismas palabras y el mismo tono. Está usted hablando con... Sí, pero no hay contacto actual, no hay diálogo en vivo, no hay encuentro entre dos personas, ni siquiera a través de cables o hilos. El interlocutor ausente me contestará o no más adelante, cuando la urgencia de mis palabras haya pasado y el interés de la comunicación ya no exista. La única defensa que me queda será instalar un contestador automático en mi propia casa para vengarme de la persona a quien había llamado, cuando ella me llame de vuelta. Puede usted dejar su mensaje después de oír los tres pitidos. Diálogo a plazos. Ausencia de comunicación a través de un aparato pensado para fomentarla. Información sin contacto. Vínculo que rompe lazos. ¡Buen invento de la era moderna!

En ciertas ciudades avanzadas hay un servicio telefónico, «Llame a un amigo», gracias al cual, con marcar un número fácil de recordar, se puede oír una voz amistosa con tonos íntimos. La ironía es que, de ordinario, la voz que se escucha en el teléfono es la de un mensaje previamente grabado y fielmente repetido. La manera es confidencial, las palabras bien escogidas, las ideas elevadas. Pero no hay nadie al otro extremo del cable. Sólo hay un carrete que da vueltas y vueltas en ejes de plástico. Y a eso lo llaman «amigo». «Llame a una cinta de plástico» no resultaría un nombre muy atractivo para un programa, por bien intencionado que sea.

En cierta ocasión le ofrecí mis servicios de dirección espiritual a una religiosa que iba a hacer los ejercicios anuales, ocho días de oración y silencio bajo consejo de alguien, esta vez no en grupo, sino ella sola por su cuenta. Ella rechazó la invitación, y dio como razón que había tenido la suerte de hacerse con las cintas grabadas de unos ejercicios dados por un director espiritual. Me sentí desairado, no sólo porque otro hombre hubiera sido preferido a mí, sino porque yo había sido postergado ante un paquete de cintas de plástico. Otra vez el plástico. Materia inerte, mientras que yo estoy bien vivo. Sin embargo, aquella buena religiosa había preferido unas charlas para público en general, y grabadas a nivel puramente amateur, a conversaciones cara a cara conmigo. Si tanto le gustaban las cintas, podía haberlas guardado para el año siguiente, ya que el plástico dura bastante y no se estropearía en un año, mientras que yo no iba a estar disponible al año siguiente, y ella lo sabía. Pero ella mantuvo su decisión y entró en ejercicios bajo la dirección del toca-cassettes. Sí que había, desde luego, una razón oculta en su decisión, y no dejé de notarla. Me tenía miedo. Ella era de espíritu conservador y temía que, si repasaba su vida espiritual ante mí, se encontraría con retos e invitaciones a abrirse y cambiar, cosa que ella quería evitar a toda costa. Tenía pleno derecho a hacerlo, y por eso escogió la seguridad de la cinta grabada antes que la aventura de un encuentro en vivo. Las máquinas no replican.

Según van reemplazando las máquinas a las personas, van disminuyendo también las ocasiones para la comunicación humana, y nos podemos pasar horas y días sin un verdadero encuentro entre personas. Ir de tiendas era antes un acontecimiento social. El tendero nos conocía por nuestro nombre, nos saludaba efusivamente cuando entrábamos en la tienda, nos preguntaba por la familia, nos proporcionaba todo el cotilleo del barrio mientras escuchaba atentamente el que nosotros podíamos aportar, y nos despedía con plena cordialidad. Ahora el autoservicio se ha impuesto. Rápido, limpio, eficiente. Empuja el carrito, escoge la mercancía, enseña el botín, escucha los pitidos del contador láser del código de barras, fíjate en el último sumando de la lista, afloja el importe y desaparece. El próximo cliente está esperando. Nadie te conoce, y tú no conoces a nadie. Las compras de una semana entera sin un solo encuentro humano. Podemos sacar dinero, poner gasolina al coche, obtener una lata de cerveza o un paquete de cigarrillos sin encontrarnos con nadie ni hablar una sola palabra. Las máquinas lo hacen todo. Lee las instrucciones, pon las monedas en la ranura, aprieta el botón y recoge la mercancía. Nos estamos entrenando ya para vivir en un mundo de robots, en el que la vida será impersonal y la comunicación apenas existirá. En las películas de ciencia ficción, los robots aparecen dotados de voces con resonancia extraña, para distinguirlos de los que todavía somos humanos. Y he visto a niños jugando a robots y hablando con las mismas voces fingidas y gramática elemental para imitar a sus compañeros electrónicos. Profecía en acción de lo que la raza humana va camino de ser en un futuro no muy lejano. Máquinas bien educadas con voces mecánicas en un mundo esterilizado. Sociedad sin socios.

Eduardo Galeano recoge otra expresiva anécdota:

«Me lo contó Rosa María Mateo, una de las figuras más populares de la televisión española. Una mujer le había escrito una carta, desde algún pueblecito perdido, pidiéndole que, por favor, le dijera la verdad: 'Cuando yo la miro, ¿usted me mira?' Rosa María me lo contó, y me dijo que no sabía qué contestar» (p. 142).

La historia es patética en su sencillez. Y el sofisma se delata por sí mismo. La mujer dice: «Cuando yo la miro»; pero en realidad no está haciendo semejante cosa. Cuando esa buena mujer, desde su pueblecito remoto, está viendo el programa de Rosa María Mateo en televisión, no está mirando a Rosa María Mateo, sino a un pedazo de cristal casi rectangular y de ligera curvatura, y las formas y colores que desde atrás se proyectan sobre él. La mujer del pueblo no está mirando a la presentadora de televisión, y en consecuencia la presentadora tampoco puede mirar a la mujer en su pueblo. Todo es pura ilusión, pero una ilusión tan convincente que todo el negocio inmenso de la televisión vive de ella. Los buenos profesionales de la pequeña pantalla trabajan tan bien, hablan con tal convicción, miran con tanto encanto al ojo de la cámara, que en transmisión se hace el ojo del espectador, que, aunque el programa se emita días más tarde, parecen estar de hecho hablando, conversando, compartiendo con los cándidos admiradores, para quienes sus voces, sus caras y sus gestos se han hecho ya tan familiares como los de amigos íntimos. En la soledad de su alejado pueblo, la viejecita (que así me la imagino yo) vive probablemente sola o con escasa compañía, se pasa las horas sentada ante el televisor, llena con su color y sonido los espacios vacíos de su aislada vida y espera con ilusión la puntual aparición en la pantalla de la estrella favorita, con su conquistadora sonrisa, su expresivo rostro, su voz acariciadora, sus gestos elegantes. Y cuando aparece en la cita exacta, es como si fuera un encuentro personal, y la mujer desde su casa mira a la admirada estrella con profunda alegría y sincero cariño. Sólo le queda una pequeña duda en su alma inocente: ¿Me mira ella cuando yo la miro? Parece que así es, pero no está del todo segura, y es importante para ella saberlo. Por eso le escribe una carta, y el mero hecho de tener que escribirle una carta para saber si la mira debería decirle que no la está mirando. Pero la carta sale, y en ella va esa palabra especial para insistir que le diga «la verdad». Respuestas de compromiso no satisfarán a la cautelosa aldeana. La estrella recibe la carta, se emociona y se pone a pensar qué contestar. El escollo está en la palabra «verdad». Le sobran recursos, si quisiera, para evitar el choque, contestar dando rodeos, o incluso llevarse la carta al próximo programa de televisión, leerla desde allí y asegurar a la fiel espectadora que, desde luego, la estaba mirando en aquel momento, ¿no lo veía ella misma? Hermoso, sin duda, pero no exactamente «la verdad». O podía simplemente olvidarse de la carta. No, no podía. La carta cuestionaba su trabajo y desafiaba a su sinceridad. Tenía que desahogarse ante un buen amigo. Y él también se emocionó, y quiso desahogarse con sus lectores. Y allí queda la historia. Nos abre los ojos a la vaciedad del espectáculo moderno. Dicen que la televisión es compañía. Compañía electrónica.

Una cosa que agradezco a la televisión son las transmisiones de conciertos de música clásica. Para el amante de la música es un gozo supremo poder oír y ver, aunque sólo sea en la pequeña pantalla, a las mejores orquestas del mundo interpretar bajo la batuta de los grandes directores las obras maestras del repertorio universal con gusto exquisito y perfección inigualable. Son momentos en que celebro los avances de la ciencia, la inventiva de los hombres y el aparato rectangular en su rincón reservado. Traer la música a cada hogar es favor delicado que bien puede redimir rasgos menos laudables en el dominio del entretenimiento electrónico.

La obra que me preparaba a ver y oír un día en televisión era nada menos que la Serenata en si bemol de Mozart, llamada «Gran Partita», de la que Johann Friedrich Shink había dicho el día de su estreno en 1784 que era «gloriosa y maravillosa, excelente y sublime», y a la que Albert Einstein luego llamó «una obra extraordinaria, por encima de todo nivel terreno y casi más allá de la materia». Yo me había acomodado en el sillón, había ajustado los controles del televisor y me preparaba a una sesión ininterrumpida de gozo estético. Y así pareció al principio. Pero algo falló luego. Los músicos eran de primera, el director elegante en sus gestos, profundo en su sentimiento y exacto en su control, y la música la perfección misma. Pero al avanzar la pieza noté que el concierto había sido grabado en un teatro vacío. Era una gran sala con filas y filas de cómodos asientos, plateas a los lados, varios pisos de tribunas, pero ni un alma. Y la música sonaba huérfana. Yo hubiera querido ver rostros que reflejaran mi disfrute, expresiones que multiplicaran mi gozo. Pero sólo había butacas vacías y suelos alfombrados. Algo faltaba. El auditorio. La presencia humana. La ovación final. A veces cantamos solos nuestro canto a la vida en un salón vacío. Y nos perdemos la alegría. No vale hacerle música a las paredes.

Desaparece el arte de la conversación. La tertulia, la sobremesa, la reunión amistosa, la charla sin prisas, el dar y recibir comentarios, experiencias, ideas, con humor y profundidad, entre amigos intelectuales que gustan de pensar juntos, de discutir juntos, de ejercitar juntos la facultad más noble del ser humano. Ya no hay tiempo para eso en nuestros apretados horarios. Vamos disparados a una reunión de negocios que ha de comenzar puntualmente, con su orden del día, trámites puntualizados y tiempo fijo. No es sitio para charlar. Tampoco lo es la oficina, con sus papeles, su trabajo, las visitas, las decisiones, la correspondencia y el dictado. Y, luego, las horas que se pasan en ir y venir del trabajo, en la soledad impaciente del coche particular o en el aislamiento apiñado del transporte público. Quizá la oportunidad de leer una novela o escuchar la radio a través de los cascos. Pero nada de hablar. Por fin, el hogar; pero estamos cansados, los rostros son los de siempre, y la vida es demasiado aburrida para ser tema de conversación. Unas palabras cariñosas de saludo, preguntas de rutina, cotilleo de familia, planes para mañana, y vuelta a poner la tele si no estaba ya puesta durante la cena. No hay tiempo para el diálogo.

Conozco pocos placeres mayores en el mundo que la conversación entre amigos de corazón a corazón. Y de cerebro a cerebro, que todo entra en juego cuando dos vidas se encuentran y dos rostros se miran, y salta la chispa del compartir y disfrutar. Desde bromas abiertas hasta argumentos serios, y desde mínimas experiencias personales hasta los remedios que han de arreglar el mundo entero. Las ideas saltan en la mente una encima de otra, sin casi dejarse tiempo, con la emoción loca del pensar común. El pensamiento se desata con desenfado, y nuevas opiniones surgen para ser rebatidas de inmediato o aclamadas con entusiasmo. El afecto ayuda al pensamiento, y el mismo lenguaje florece de súbito en la primavera espontánea del encuentro intenso y la tranquila intimidad. El tiempo se hace a un lado cuando dos almas paralelas se unen en la luz y el ardor de ideas comunes y afectos compartidos. La comunicación es lo que nos acerca a otros seres humanos, y esta cercanía vital es la esencia secreta que hace a la persona. Somos personas en tanto en cuanto nos relacionamos, en pensamiento y afecto, con otras personas que a su vez se forman y enriquecen al encontrarse con nosotros. Por eso hay alegría en la comunicaión y placer en el diálogo. Crecemos por contacto, y cuanto más profundo el contacto, más fecundo el crecimiento. Es extraño que no encontremos fácilmente tiempo en nuestra vida para este contacto íntimo y expresivo, que nos lleva a crecer. Quizá en el fondo no queramos crecer, y prefiramos seguir, como Peter Pan, en la ilusión imposible de una infancia perpetua.

Sin embargo, en nuestro verdadero y sincero ser, sí que deseamos el contacto. Nos gusta que se note nuestra presencia, que nos llamen, que nos busquen. Sabemos que nuestra salvación está en medio de los demás seres humanos, y anhelamos su compañía y reclamamos su atención. «Ódiame o quiéreme; pero, por amor de Dios, no me ignores» es el grito del corazón humano, a veces a pesar de sí mismo, pero siempre en necesidad real de aire y de vida. Ser ignorado es morir. Y la manera de no ser ignorado es no ignorar a otros. Ignoramos a los demás cuando pasamos el día sin mirar a nadie, sin dirigir la palabra a nadie, sin pararnos a charlar, sin prestar atención, sin mostrar interés, sin abrirnos a los demás para que ellos, a su vez, se abran a nosotros y podamos establecer los lazos que nos hacen humanos. El no hacer caso a la gente es tratarlos como cosas, como objetos materiales, como máquinas que no tienen sentimientos ni personalidad. No hacer caso a la gente es perderse la vida, desterrarse por decreto propio, insultar a la humanidad, invitar al aislamiento. No hacer caso a la gente es ser ciego en un mundo de luz. Triste autocastigo de oscuras consecuencias.

La comunicación es, desde luego, más que palabras. Una mirada, una sonrisa, un apretón de manos, una caricia. Detalles que hablan afecto, y gestos que demuestran interés. Todo aquello que le dice a la otra persona que nos hemos fijado en ella, que la apreciamos, que la queremos, o sencillamente que aquí estamos a su lado, conscientes de su presencia y de la de otros alrededor, dispuestos a formar parte alegre y agradecida de este grupo que en este momento vive la vida en unidad. Si yo soy consciente del hecho de que hay otras personas a mi alrededor, esta convicción se evidenciará por sí misma y enviará mensajes cifrados y evocará respuestas y despertará sentimientos y nos hará sentirnos a todos en nuestra casa con la tarea común de aprender a vivir en familia sobre la tierra. Aprendamos a hacer sentir nuestra presencia, no en el sentido reprobable de ejercer influencia y forzar presiones, sino en el sentido liberador y vivificador de saber llevar vida a una reunión y alegría al grupo. Si estamos de verdad vivos, nuestra misma presencia aclarará el aire y limpiará los sonidos, acortará distancias y creará una atmósfera propicia para que la gente se sienta a gusto y se acerquen unos a otros con delicadeza e interés. A todos nos corresponde contribuir a crear un mundo despierto con nuestro propio despertar. Es nuestra mejor contribución al esfuerzo por levantar una sociedad más humana.

Una señora que tenía por costumbre dar limosna a un pobre a la puerta de la iglesia que frecuentaba, se llevó un día la mano al bolso, y sólo entonces cayó en la cuenta de que se lo había dejado en casa. El mendigo mantenía su mano extendida hacia ella, y ella entonces reaccionó con tacto y rapidez. Le dijo: «Hoy no tengo nada que darle, pero al menos puedo estrecharle la mano». Y así lo hizo, con sincera naturalidad y sentimiento. El mendigo no se dejó ganar en cortesía, aceptó el apretón de manos y dijo: «Hoy me ha dado usted más que todos los demás días». El gesto humano de contacto directo es el mejor regalo que podemos dar a los que viven con nosotros.

SEGURIDAD EN CARRETERA

Cuando llegué a la India, un anciano misionero que había vivido muchos años en el país, adonde había llegado en su juventud desde España, y que nunca había conseguido dominar suficientemente la lengua de la región, me comunicó su experiencia y me dio un consejo. Él había pensado, según dijo —aunque los hechos se encargaron de probar que estaba equivocado—, que aprendería la segunda lengua de su vida como había aprendido la primera, es decir, simplemente con estar allí, por ósmosis, por inercia, sin lecciones de gramática ni ejercicios de ortografía. Oír y hablar, y eso era todo. Había aprendido su lengua madre en su infancia sin enterarse de que la estaba aprendiendo, y estaba seguro de que el mismo proceso se repetiría en su nueva infancia en otras tierras. Pero no fue así. La lengua que aprendió fue defectuosa, y su pronunciación fue siempre la de un extranjero. Cuando cayó en la cuenta y quiso mejorar sus conocimientos lingüísticos, era ya demasiado tarde, y nunca obtuvo un dominio satisfactorio de la lengua que a diario debía usar. Era persona tímida, y sufrió hasta el fin de sus días por la desventaja permanente que no le permitía mezclarse libremente con los demás y llevar una vida social satisfactoria. Su consejo fue: «No des nunca nada por supuesto; las habilidades no se adquieren por sí solas; ponte a trabajar y domina el arte antes de que sea demasiado tarde». Siempre le agradecí de veras el consejo leal.

La comunicación es un arte y, como tal, ha de aprenderse. Se necesita práctica, observación, reflexión, fallos, enmiendas, planificación, esfuerzo, mejoras diarias y perseverancia de por vida. No viene por sí sola. Al contrario, cuanto más tiempo pasa, más difícil se hace dominar el acento en la pronunciación y los giros en la gramática. Tomamos demasiado a la ligera la conversación, las reuniones, el diálogo. Sabemos cómo comportarnos, cómo hablar y responder a una pregunta y tomar parte en una discusión. Es todo tan sencillo y evidente... Pero los años pasan, y las cuerdas vocales se endurecen, y la voz se asienta, y la conducta se fija; y un buen día caemos en la cuenta de que estamos demasiado tiesos y reservados y solitarios y recluidos, y entonces es ya demasiado tarde para que nuestra garganta aprenda cantos nuevos, y nuestros pies dancen a otros compases. Queremos acercarnos a la gente, pero nos precede nuestra imagen y cierra el paso a la intimidad. Nuestra voz no invita, nuestro rostro es aburrido, nuestros modales son rígidos, nuestro sentimiento está sin entrenar, y ya no podemos ser lo que quisiéramos ser, lo que siempre habíamos soñado ser en carácter atractivo y conversación galante. Sólo queda entonces resignarnos a la penumbra, o quizá intentar justificar, con la lógica de las uvas verdes, la esterilidad afectiva en que nos vemos atrapados.

Antes de que esto suceda, nos conviene despertar y espabilar. Si nos damos por aludidos por dentro al pensar en estas situaciones y repasar nuestra vida y proyectar nuestros sueños, esto quiere decir que todavía hay vida en nosotros, y que puede haberla más si nos animamos a afilar ideas y arriesgar experiencias. La escuela está abierta, y podemos matricularnos cuando queramos, ya que sólo se trata de saber cómo aprovecharnos de encuentros y reuniones, de un saludo al pasar y de una charla reposada. Estamos rodeados de gente, y todos son maestros y alumnos en el amplio laboratorio de las relaciones humanas. Nos ayudará el convencernos de la importancia de nuestras relaciones con los demás y del medio esencial de la comunicación, que es el que decide la calidad del contacto humano.

No valemos mucho como comunicadores. Apenas hay proporción entre la cantidad de palabras que usamos y la parvedad de información que transmitimos. Como también es grande la confusión entre lo que creemos que le hemos comunicado a la otra persona y lo que esa otra persona entiende que le hemos comunicado. Pueden ser dos cosas enteramente diferentes. Como, de ordinario, no nos preocupamos de verificar si lo que nosotros pretendíamos es lo que de hecho ha sido entendido, nos exponemos a múltiples accidentes con tristes consecuencias. Una vez, un buen amigo que acababa de llegar de España nos trajo una buena porción de jamón serrano y le explicó al cocinero cómo cortarlo y presentarlo para que conservase todo su sabor y frescor. El cocinero se dio por enterado y puso manos a la obra.

Era un buen muchacho, con un gran sentido oriental para especias y currys, pero que en su vida había visto un jamón serrano. Le habían dicho que lo cortase bien fino, cosa que hizo; pero luego coció sin piedad las pequeñas partículas y las llenó de toda clase de polvos picantes, hasta que no quedó ni rastro de los aromas de Jabugo. Nos habíamos prometido una buena comida, y nos sentimos horrorizados y traicionados cuando la fuente llegó a la mesa con el jamón evaporado en una salsa tórrida. Se hizo comparecer al cocinero, quien juró y perjuró que él había seguido las instrucciones al pie de la letra. De la letra que él había entendido, claro, que era algo completamente distinto de lo que había pretendido explicarle el amigo que había regalado el jamón y le había dado las instrucciones. Un fallo en la comunicación puede estropear el menú.

Carl Rogers recomienda una práctica bien sencilla para mejorar nuestro nivel de comunicación y, más aún, para hacernos caer en la cuenta de la necesidad de mejorarlo. Consiste en que, cuando estemos tomando parte en cualquier discusión o diálogo, resumamos primero en voz alta lo que acaba de decir el último interlocutor antes de responderle y nos aseguremos de que eso era exactamente lo que él quería decir. Si alguien, por ejemplo, ha expresado una opinión que yo quiero contradecir, puedo hacerlo libremente, pero antes de manifestar mi oposición he de repetir sucintamente lo que esa persona ha dicho, hasta que ella apruebe mi resumen como exacto, y sólo entonces puedo proceder a expresar mi propia opinión. Si hacemos esto, nos encontramos con frecuencia con que no habíamos entendido bien el punto de vista de la otra persona, y al verificar y refinar con su ayuda el resumen que yo hago de su postura, mi propia reacción va cambiando sustancialmente, y al final puedo encontrarme con que no tengo nada que objetar. El proceso puede parecer largo, y cuando nos enzarzamos en un animado diálogo podemos sentirnos irritados si cada vez que queremos meter baza hemos de presentar antes un resumen oficial de lo que ha dicho la otra persona; pero, si la conversación es lo suficientemente larga, encontramos que este rodeo es de hecho un atajo, porque con él nos ahorramos las protestas, que de otra manera son inevitables, como «Eso no es lo que yo he dicho», «No me has entendido», «Deja que lo repita otra vez». Sin tales aclaraciones hay que estar repitiendo lo mismo una y otra vez, hasta que esté de acuerdo con el dicho original, y para cuando esto se ha logrado comenzamos a ver lo difícil que es reproducir con exactitud lo que otro ha dicho, y lo fácilmente que nos equivocamos, lo interpretamos a nuestra manera, ni siquiera dejamos acabar de hablar a la otra persona y la interrumpimos antes de que exponga del todo su pensamiento, con lo cual una discusión amistosa puede degenerar en un barullo donde todos hablan al mismo tiempo y nadie escucha.

Es importante y conveniente hablar claro, repetir la esencia del mensaje y asegurarnos de que ha sido entendido. Con frecuencia somos oscuros, ambiguos, incompletos. Nuestro hablar es vago, borroso e impreciso; a veces también prolijo, ampuloso y reiterativo, y las repeticiones no sirven precisamente para esclarecer el asunto, ya que cada repetición es distinta de la anterior. Damos por supuesto que nuestro interlocutor ha entendido lo que queríamos decir, y ese supuesto es de ordinario falso y siempre peligroso. En la mayoría de los casos no lo ha entendido, al menos no con los matices y detalles con que nosotros lo entendemos; y así, el presuponer que, porque yo he dicho algo, el mensaje ha sido recibido en la mente del otro tal como está en la mía, es suposición injustificada, exagerada y equivocada. Nunca podemos hablar demasiado claro.

Aaron T. Beck comenta con agudeza este tema en su libro *Love is Never Enough* (Harper and Row, New York 1989, p. 91):

«Es desesperante ver cómo gente que, por lo demás, se expresa con facilidad, lo hace tan mal cuando se trata de comunicarles sus propios pensamientos, deseos y sentimientos a sus parejas. Algunos exponen sus deseos de manera que desafía a toda comprensión. Otros manifiestan sus opiniones de manera vaga, dan vueltas y vueltas, se pierden en detalles triviales —todo ello con la inocente suposición de que el interlocutor adivina perfectamente lo que ellos quieren decir—. Uno inunda la discusión con un torrente de palabras, mientras que otro la esquilma con reticencias —mientras ambos siguen erróneamente convencidos de que están contribuyendo al mutuo entendimiento—. A veces da la impresión de que hablan en lenguas distintas; usan las mismas palabras, pero el mensaje transmitido es enteramente distinto del recibido. No es extraño, dado el defectuoso sistema de comunicación, que ambos se sientan frustrados. Como cada uno ignora su propia contribución al malentendido, la culpa se le echa al otro por su torpeza y tozudez. Marjorie, por ejemplo, quería que Ken la invitase a su bar favorito sobre la bahía para celebrar su aniversario de boda. Le echó una indirecta: 'Ken ¿te gustaría salir a tomar un cóctel esta noche?' Ken, que estaba cansado, no captó el mensaje oculto en la pregunta. Contesto: 'No, estoy agotado'. Marjorie lo sintió profundamente. Sólo cuando vio su propio dolor y rabia cayó en la cuenta de que no le había comunicado a Ken su verdadero deseo: celebrar el aniversario. Entonces fue y se lo dijo claramente, y él aceptó enseguida».

El perfecto diálogo sin diálogo. «¿Quieres salir esta noche?» «No». La verdadera razón no se ha expresado y, en consecuencia, la esperada reacción no se ha producido. Y luego vienen las recriminaciones, las acusaciones, las malas caras. «Él debería haberse dado cuenta. ¿No es nuestro aniversario de boda? ¿Tengo que deletrearle cada palabra?» Y el otro: «¿Cómo iba yo a saberlo? ¿No puede llamar a las cosas por su nombre? ¿Tengo yo que adivinar cada vez lo que ella quiere decir?» Las cosas habrían sido más sencillas para ambos si el deseo inicial se hubiera expresado desde el principio con toda claridad y honradez. «Hoy es nuestro aniversario de boda, y me encantaría celebrarlo en ese sitio que sabes muy bien y que nos gusta tanto. ¿Qué te parece?» Ésa es una proposición honesta, y las negociaciones pueden empezar. Pero el miedo, la timidez, el orgullo, la duda nos hacen desviarnos del camino directo, para no exponernos a una negativa o a una crítica. Por eso precisamente es importante la claridad: demuestra que sabemos lo que queremos, y que estamos dispuestos a aceptar las consecuencias de nuestros deseos. Si de veras sabemos lo que queremos y lo decimos con suavidad, nosotros mismos quedaremos sorprendidos de la cantidad de veces que lo conseguimos sin problema alguno.

Las frases hechas valen poco. No hacen contacto. Y, sin embargo, nuestra conversación está llena de ellas con la mejor intención y los peores resultados. «¿En qué puedo ayudarle?» No estoy seguro de en qué puede usted ayudarme, pero sí sé que en este momento, al hacerme esa pregunta estereotipada, está usted haciéndome sentir como si estuviera en una tienda y usted fuera el tendero que quiere venderme algo, cosa que no es precisamente una ayuda en esta situación; y por eso quizá la mejor ayuda que usted puede prestarme en este momento sea callarse y no decir frases hechas. «Sé cómo te sientes, porque yo también tuve el mismo problema». Por desgracia, diría yo, ya que ahora estás a punto de aprovecharte de mi problema como excusa para contarme el tuyo. Desde luego que no sabes lo que siento en este momento, y menos lo que siento hacia ti, porque si lo supieras desaparecerías de mi vista antes de llegar a tu próximo comentario. «Ya sabes que siempre puedes contar conmigo». Si al menos pudiera contar con que te callaras cuando no tienes nada que decir, eso ya sería algo. Limpiar nuestro lenguaje de frases hechas es, no sólo un buen ejercicio de sana lingüística, sino un buen entrenamiento para mejorar la comunicación.

Si quiero conseguir algo, lo mejor es decirlo y proponerlo como mi propia voluntad y deseo, y no tratar de colgárselo a otro para que él se lleve la molestia de pedirlo y yo me aproveche tranquilamente de su iniciativa sugerida por mí. Es un truco frecuente. ¿No querrías un helado? El que se está muriendo por un helado soy yo, pero no quiero comprometer mi dignidad aparentando que me interesa un producto tan despreciable como un vil helado, y así me pongo la máscara de la generosidad y el interés por mi amigo, a quien quizá le interese esa pequeñez, y me muestro noblemente condescendiente con su capricho infantil, e incluso llevo ni bondad natural a acompañarlo en su debilidad como un acto de caridad por mi parte, para que no le dé vergüenza tomarse el helado solo. Que no se diga que no soy delicado y caritativo. El único problema es que, a lo mejor, a mi amigo no le gustan los helados, y en ese caso puede rechazar la oferta y dejarme a mí sin el placer helado que yo ya estaba saboreando por dentro. Una vez que él lo ha rechazado, no quedaría yo bien si confesara que quien quería el helado era yo, y fuera y me comprara uno. Habrá que abstenerse para mantener la dignidad.

Una vez estuvo mi vida en peligro, como resultado de una de estas transacciones torcidas. Sucedió lo siguiente. Un pariente y amigo a quien mucho aprecio me llevaba en su coche a un sitio lejano a varias horas de carretera. Salimos inmediatamente después de comer, y llevábamos unas tres horas de coche sin parar cuando aún estábamos a mitad de camino. Al principio de la excursión, y durante un buen rato, estuvimos hablando animadamente de asuntos que nos interesaban a los dos, y como mi amigo era persona muy culta e inteligente había resultado una conversación entretenida e instructiva. Luego nos callamos, y él seguía absorto en conducir mientras yo admiraba el paisaje que nos llevaba por terreno montañoso entre curvas y barrancos. Apareció un pueblo en el camino, y mi amigo rompió el silencio para preguntarme: «¿Te apetecería un café?» Yo contesté rápidamente: «No. No soy cafetero, y no me apetece ahora tampoco ninguna otra bebida. Prefiero seguir disfrutando de este paisaje tan bonito». Pasamos por el pueblo sin pararnos y seguimos adelante. Al cabo del rato se divisó otro pueblo, y mi amigo repitió el ofrecimiento: «¿Querrías tomar un café?» Volví a excusarme: «No, no. De verdad que no me interesa un café. Muchas gracias por preocuparte tanto de mí, pero prefiero seguir como vamos». Así lo hicimos un rato más, kilómetros adelante. Al doblar una curva apareció un tercer pueblo en el camino, y mi amigo explotó con vehemencia: «Mira, Carlos. Llevo tres horas conduciendo este maldito coche, estoy cansado y se me cierran los ojos y me estoy cayendo dormido sobre el volante, y si no me paro y me tomo un café nos vamos a despeñar por el primer barranco, si eso es lo que parece que prefieres en vez de llegar a nuestro destino. Y ahora dime, ¿te apetece un café, sí o no?» Yo levanté los dos brazos y grité a la desesperada: «¡¡¡Síííí!!!

¡¡¡Me encanta el café!!!» Él paró el coche enfrente de un bar y nos bajamos. Tomamos dos cafés cada uno. No soy aficionado al café, pero he de confesar que en aquella ocasión me supo buenísimo. Mi amigo aún tomó un tercer café a ruego desinteresado mío. Luego volvimos a la carretera. Antes de anochecer, llegamos felizmente a nuestro destino.

EL PERFUME DE LA ROSA

La comunicación defectuosa puede causar accidentes en las carreteras de la vida. Y la comunicación superficial hace también superficial la vida. El nivel de intimidad que alcanzamos en la variedad de las personas y la profundidad del contacto puede ser una buena medida de la fuerza y valor de nuestra personalidad. He vivido lo suficiente para ver cómo personas que en un principio presumían de una individualidad marcada que no necesitaba amigos ni buscaba apoyo, decayeron años adelante y aun tuvieron serias crisis en su aislamiento afectivo y sequedad social. Es importante aprender a ser personal en nuestra comunicación con los demás. Vivir siempre con el cerrojo echado no es vivir.

Cuando alguien viene a hablarme de asuntos personales y comienza por decirme que yo soy la primera persona a quien le cuenta sus cuitas, me entristezco. Por un lado, me halaga su gesto, que supone confianza en mí; pero, por otro, reflexiono que, si yo soy la primera persona a quien habla, quiere decir que él ha vivido esa situación conflictiva en aislamiento, y eso complicará el problema y retrasará la solución. El mismo hecho de hablar por vez primera se nota en el esfuerzo y la falta de familiaridad en los caminos de la confidencia. Dudas en comenzar, marcha atrás inesperada, violencia hecha a uno mismo para salir adelante. Esa misma tensión puede ser, si no la causa, sí el factor multiplicador de los problemas, y en todo caso será un obstáculo para encontrar la solución y conseguir la normalidad. Cuanto antes aprendamos el arte respetuoso y delicado de la confidencia, mejor nos irá en la vida. La confidencia es la mejor comunicación.

Si la esencia de la relación es la comunicación, la esencia de la comunicación es la autorrevelación. Abrir ventanas, mostrar el rostro, levantar el velo. Ésa es la comunicación definitiva y el mensaje presupuestado en todo acercamiento genuino. Si mi propia persona no estaba de alguna manera en mis palabras, el mensaje no valía nada. La información puede ser puro chisme, y la conversación puro ruido. Mientras no aparezca la persona, el discurso más elocuente es pura verbosidad, y las frases más altisonantes son mera gramática. Lo que da valor a todo lo que yo digo es, a fin de cuentas, mi persona, y si yo me oculto tras mis palabras, en vez de usarlas para revelarme, estoy abusando del lenguaje y perdiéndome la oportunidad de salir ante el mundo, de hacer contacto, de avanzar en la vida.

Estaba yo tomando parte en un programa de dinámica de grupo con gente desconocida, y uno de ellos propuso que empezáramos por presentarnos cada uno a sí mismo. Comenzamos a hacerlo por turno. Al cabo de un rato, cuando tres o cuatro personas del grupo habían contado sus vidas, el director de la sesión se levantó y se marchó. Más adelante explicó su gesto, que había sido un desplante intencionado para que el grupo lo entendiera y cambiara de rumbo. Dijo que lo que habíamos empezado a hacer era lo opuesto a la comunicación, y que era urgente e importante que cayéramos en la cuenta de ello. Habíamos comenzado a contar nuestras vidas, sí, pero de una manera puramente objetiva e impersonal que no llevaba a ninguna parte. Si había algo importante en nuestra vida, eso ya saldría más adelante por su propia cuenta en las sesiones, al tiempo y nivel que le correspondiera. Narraciones de por sí no valen para nada. Fechas y sucesos y datos y biografías dan la impresión de que estamos diciendo algo, cuando, de hecho, sólo estamos perdiendo el tiempo y obstaculizando el proceso de comunicación, al escondernos detrás de nuestra narrativa. Los acontecimientos como tales no tienen importancia; la cobran solamente cuando se presentan como experiencias vivas, transformadas por el sentimiento personal y la individualidad exclusiva que les dan relieve y emotividad. El recuento de los hechos es sólo la fachada, que puede ser sólo objeto de admiración desde fuera, o puede servir para entrar en el edificio por su puerta. En aquella ocasión, en la primera sesión de un encuentro de grupo, nos habíamos puesto a la defensiva y habíamos caído en la impersonalidad disfrazada de biografía personal. Pronto aprendimos que ésa era la manera de funcionar con fruto.

Una historia parecida de un maestro Zen. Después de mucha formación y muchos sermones, el maestro invitó un día a sus discípulos a que expresaran ante los demás, de la manera que quisieran, sus experiencias en el curso que seguían. Algunos expusieron sus convicciones, otros contaron anécdotas, otros, en fin, repitieron enseñanzas o hicieron preguntas. El maestro no se marchó de la sala, pero permaneció sentado en típica postura oriental, sereno e inescrutable. Por fin un alumno, cuando le tocó el turno, habló y dijo: «Tengo los pies fríos». Y el maestro sonrió y le hizo una inclinación de cabeza. Era el premio que consagraba su respuesta como la única válida. El disícpulo sonrió también y se inclinó a su vez ante el maestro.

La persona que dice «Tengo los pies fríos» está diciendo algo real, personal, actual. Quizá no sea una revelación transcendental, pero sí expresa, en su franca y terrena humildad, algo que está sucediendo aquí mismo, en medio de todo el grupo, y que afecta físicamente a uno de ellos. Ni siquiera hay que rebuscar una crítica velada de la torpeza de sus colegas en el doble sentido de la expresión «tener los pies fríos» como hecho orgánico o como signo de aburrimiento, aparte de que no sé si en la lengua china esa expresión tiene doble sentido. No hace falta. No hay misterio ni mensaje cifrado ni parábola esotérica. Sólo un par de pies fríos en un cuarto pelado. Y la mente tranquila y objetiva del dueño de los pies, que nota el hecho y lo comunica tal como es. Tampoco hay queja alguna en la frase inocente. El maestro no manda que traigan un brasero o que se dé masaje en los pies. Tan sólo sonríe y se inclina. Los pies fríos se quedan fríos. Pero la atmósfera de la sala ya no es fría. Una chispa de realismo ha iluminado la aburrida rutina con un relámpago de vida.

¡Cuántas reuniones, diálogos, discusiones, podrían animarse con que alguien dijera en el momento oportuno y con realismo sincero: «Tengo los pies fríos»! Eso no estaba, desde luego, en el orden del día, y no se mencionará en las actas de la reunión, pero quizá sea lo único sincero que se dijo en toda la sesión, y haría que alguno al menos de los honorables miembros del consejo se sonrieran con terrena satisfacción. Estar en contacto con mis sentimientos, y en este caso con mis pies, es signo de salud y condición de vida. Y el decir lo que siento, con libertad y sencillez, es abrir la puerta y tender un puente. Ahora puede empezar la comunicación.

Los psicólogos usan los términos «historia» y «relato» para distinguir estos dos tipos de intervención en un grupo. Los términos son arbitrarios, pero ayudan a clasificar los datos y separar conceptos. La «historia» es una exposición impersonal, objetiva, desprendida de la vida de uno o parte de ella, mientras que el «relato» es una narración en primera persona con entrega concreta y apertura íntima. En la práctica es fácil distinguir la una del otro. La pura historia aburre. Es larga, monótona y sin interrupciones. Ni el tono ni las palabras del narrador suscitan preguntas, curiosidades, comentarios. El historiador queda distanciado de su historia y no se compromete con ella, que es lo que la hace cansada. A nadie le interesa una retahíla de fechas. Con frecuencia, esa exhibición de información es precisamente lo contrario de lo que pretende ser, es decir, en vez de ser contacto que lleva a la comunicación, es escudo y barrera que la impide. Se habla mucho para no decir nada. Se ha cumplido con el deber ante el grupo o el interlocutor. Se ha contado la historia. Sigue una pausa. Ahora, que salga otro con su historia y siga la ronda. Al final, nadie habrá aprendido nada de nadie, y todos bostezan. Esto sucede en sesiones de grupo, en fiestas sociales y en la conversación diaria, y en todos los casos trae la misma vaciedad y frustración. La descripción descarnada de hechos y sucesos sin compromiso personal no lleva a ningún lado, y puede incluso causar daño, en cuanto que crea la ilusión de fomentar la comunicación cuando, de hecho, la impide.

La autorrevelación es distinta. Ahí, quien relata está plenamente en el «relato». Hay selección de hechos, pausas, miradas a todos los rostros alrededor para medir el interés y suscitar preguntas. Hay contacto abierto, hay diálogo, hay participación. La autorrevelación auténtica por parte de una persona es también invitación callada y respetuosa a la autorrevelación a todos los que escuchan con sentimiento afín. Así facilita el intercambio a nivel profundo, dando el primer paso y demostrando que puede hacerse con fruto para todos.

Cuando ese clima de autorrevelación se crea en una pareja o en un grupo, tiene un efecto casi mágico en todos los presentes. Sabemos que hemos tocado fondo, y eso cambia el ambiente. No hace falta que nadie lo diga, que lo señale, que llame la atención al hecho. Estamos cara a cara, de persona a persona, y cada palabra despierta ecos, cada sonrisa proclama cercanías, cada gesto define amistad, y nos acercamos más y más al hablar y escuchar y dejar que la experiencia privilegiada se desarrolle por sí misma, a su ritmo y a su calor. ¿No es el abrirse de una rosa un acto de autorrevelación? El perfume les llega a todos aquellos que están cerca y admiran el milagro. Ésa es la manera de hacer que este mundo sea un jardín. Abrirse, y que se extienda el perfume.

EL VELO DE LA PRINCESA

La autorrevelación cambia tanto a quien la hace como a quien la recibe. Cuando yo me abro ante ti, ya sea en una confidencia pasajera o en una larga intimidad, estoy siendo plenamente yo mismo ante ti; y al ser yo mismo en tus ojos, lo soy también en los míos, y con ello me revelo a mí ante mí mismo. Me veo expresado en mis palabras y reflejado en tu rostro. Me conozco mejor al luchar por contar con palabras lo que hasta ahora era sólo experiencia muda; gano perspectiva al romper el monólogo de mi propia memoria; descubro mis fallos y mis aciertos al adivinar tu reacción silenciosa a mis cándidas revelaciones. Así voy cambiando, al hablar de mí ante ti en comunión confiada. Y también tú cambias al oírme, al dejarte iluminar por destellos de otra vida en contraste y apoyo, al ver el esfuerzo común por la excelencia humana en las circunstancias distintas pero paralelas de una vida cercana a la tuya. He dejado dicho que las relaciones nos moldean, y éste es el instrumento escogido y la acción especial con que lo hacen: la autorrevelación.

Conocí yo a una persona, hace algún tiempo, cuya compañía era agradable, pero más bien superficial. Era agradable encontrarnos, charlar, escuchar sus comentarios de sucesos que ambos conocíamos, y ofrecerle los míos. Todo de una manera amistosa y sociable. Un día, sin embargo, sin ninguna razón especial, pero a tono con el silencio tranquilo y el rincón retirado en que estábamos, él se quedó pensativo y, al cabo de un rato, comenzó a hablar de asuntos personales, tanteando la intimidad. Sabía que pisaba suelo nuevo, pero se fió de sí mismo, se fió de mí, y se aventuró delicadamente por la tierra sin camino de la confidencia. Habló despacio y mirando al suelo; después hizo una pausa y levantó los ojos para examinar mi rostro. Para entonces ya había yo notado el cambio en el diálogo, y mi rostro reflejaba mi intensa atención y cariñosa expectativa. Él siguió, llegando cada vez más adentro a cada vuelta de la espiral introvertida. En un momento dado, cuando esperaba que yo le comentase algo, me lo hacía saber con un cambio de postura y una mirada interrogante. Yo ajusté mi paso al suyo, no para imponer mi propia autorrevelación, que hubiera en aquel momento ahogado la suya, sino para animarlo en su apertura con mi entender cercano y mi sentir afín; y así él siguió con facilidad interna, sin traspasar nunca los límites de la delicadeza y el rubor inicial en el primer acercamiento. Lo que dijo no era muy importante en sí, y mis comentarios no fueron precisamente profundos; pero yo vi que una puerta se abría, y que él me invitaba a acercarme y enriquecer mi vida con la suya. Nuestra relación cambió desde aquel día.

Lo mismo sucede en el grupo. Podemos estar juntos horas enteras planeando proyectos, evaluando trabajos, intercambiando ideas con la claridad y eficiencia de gente que se conoce bien y viven juntos y quieren reflexionar ante las situaciones de hoy y ayudar a todos. Y todo eso se hace con el interés y la sinceridad de gente entregada. Pero a veces, sin planearlo ni esperarlo, se llega algo más adelante, en medio de la sorpresa general y en beneficio de todos. Se descubre un rostro, y el grupo cobra vida. El ambiente cambia, los lápices se dejan sobre la mesa, se transforman las posturas, se distienden los cuerpos, y las mentes despiertan ante el regalo súbito de un encuentro en vivo. Un ser humano se ha presentado en el grupo, y el grupo cambia de discusión a comunión, del pasado al presente, del trabajo a la vida. Tampoco ese grupo volverá a ser el mismo.

La autorrevelación tiene el poder de cambiar el pasado en presente. Si te cuento episodios de mi vida pasada, no es para contarte historia antigua o desempolvar mis propios archivos; si hablo del pasado, es sólo en cuanto que ahora está obrando sobre mi presente, como yo lo veo y lo siento, y así, al contarte hechos pasados, te estoy descubriendo sentimientos presentes. De nada serviría recitarte mis efemérides; pero sí sirve de mucho el contarte ahora cómo aquel incidente de mi infancia se grabó en mi memoria, cómo ha pesado en mi vida, y cómo hoy mismo noto su presencia y cierro la herida al contarte la experiencia. Una buena prueba de la autorrevelación auténtica es el grado de interés que despierta en el oyente. Si el oyente se aburre, no hay revelación. Los hechos son hechos desnudos y no tienen la carga afectiva de la realidad presente. La autorrevelación auténtica siempre atrae atención y despierta interés, porque la persona humana es el núcleo mayor de interés en el mundo. Si hablo de mí mismo y nadie se entera, es que no estoy hablando, de hecho, de mí mismo. La reacción de mis oyentes es la medida de mi sinceridad, y el aviso certero si me pierdo en vaguedades o me disuelvo en generalidades. Si se rompe el contacto, es que he recaído en periodismo rutinario. Se ha apagado mi luz, y han cesado sus reflejos. Cuando el fuego arde, las chispas brillan.

El trato social está tan estereotipado que un toque personal es como una ráfaga de aire fresco en medio de una atmósfera asfixiante. Nadie va a pedir directamente que se rompa la monotonía y que alguien se aventure a la intimidad para animar la vida, pero por dentro todos deseamos que quienes están a nuestro alrededor se acerquen y alegren la rutina de la vida con el calor de una verdadera compañía.

Una vez, una amiga me regaló en una fiesta un artístico bloc de papel de cartas con sus sobres correspondientes. El sentido del regalo era obvio. Quería conocerme mejor. Quería que le escribiera, y como los pliegos no eran papel ordinario, sino que cada uno llevaba un dibujo distinto y atractivo, parecía indicar que las líneas que de mí esperaba no habían de ser epistolario formal, noticias de fuera o saludos fijos, sino algo más personal y diferente cada vez, como expresión de interés especial y sentimiento verdadero. Caigo en la cuenta de que he recibido tales blocs de regalo más de una vez, lo que me hace pensar que el deseo de conocer mejor a otros puede ser más general de lo que parece. Y también yo he regalado a veces blocs de papel de cartas. También a mí me gusta conocer a la gente.

La princesa del cuento había de escoger entre los muchos pretendientes a su mano que habían venido de tierras lejanas atraídos por la fama de su belleza y las riquezas de su padre. No habían visto su rostro, aunque conocían su perfección, pero ella sí que los había visto a ellos a través del velo que cubría su rostro y que le permitía ver sin ser vista. Los príncipes desfilaban ante ella uno por uno, y cada cual se acercaba con la ilusión de ser el elegido, y se retiraba con el amargo desengaño de no serlo. La princesa sabía qué había de hacer para señalar su elección. Sólo tenía que levantar el velo que cubría su cara y mostrar su rostro al príncipe a quien quería entregar su corazón. Aquél era el momento de gozo para el feliz pretendiente, cuya vida cambiaba en ese instante. Y cambiaba bella y significativamente al mostrársele un rostro. El velo levantado. La sonrisa primera. La autorrevelación. Una vez que el rostro ha quedado descubierto, la relación queda sellada, y el príncipe y la princesa se pertenecen ya de por vida y eternidad. La rúbrica no era un gesto arbitrario. El levantar el velo no era sólo una costumbre ancestral. Era señal y símbolo de la lección que había de aprenderse si los novios reales del cuento habían de ser felices y comer perdices. La lección de que la autorrevelación es la base de la intimidad. Todos vamos por este mundo con espesos velos ante el rostro. No mostramos nuestras preferencias, nuestros sentimientos verdaderos, nuestras opiniones o

nuestras reacciones. Disimulamos y disfrazamos y enga-
ñamos y ocultamos nuestra verdadera imagen tras las múltiples máscaras del formalismo y el fingimiento. No nos
vemos cara a cara, sino máscara a máscara, y podemos
pasar una vida entera sin ver en realidad un rostro humano.
Los príncipes desfilan ante la princesa, y ninguno ve su
rostro. Nos perdemos la belleza y el encanto y el ingenio
y la alegría y el afecto y el cariño de personas reales en
vida real. Y nos volvemos desilusionados y frustrados en
el fracaso de nuestras esperanzas. Hay que devolverle el
rostro a la vida para poder ser feliz.

Hay por lo menos un velo que sí podemos levantar,
y es el nuestro propio. No es que haya que hacerlo en
manera alguna a cualquier hora y ante todo el mundo, sino
con sabiduría y prudencia, cuando se presenta la ocasión
y surge el sentimiento. Ya he dejado mencionado que la
autorrevelación de una persona invita suavemente a la de
las demás. No hay ruego explícito, no hay exigencia, no
hay presión, ya que no hay poder extraño que obligue a
descubrir el alma. Pero, cuando se produce por iniciativa
propia, el gesto humilde y valiente no pasa desapercibido
en la muchedumbre de vidas veladas. Un velo que se levanta es espejo y parábola. Si uno se ha levantado, también
pueden ser levantados los demás. La amenaza ya no existe,
y la singularidad desaparece. La apertura es contagiosa.
Puede llegar el momento en que lo raro sea tener el velo
puesto cuando todos se lo han quitado. Cuando se crea un
clima de mutua confianza, podemos vivir entre personas,
y no entre duendes encapuchados. El trato íntimo y personal es lo que puede devolverle a la sociedad la vida y
el gozo que la rigidez desconfiada le había quitado.

Todos nos hacemos regalos unos a otros en fechas
fijas del calendario de fiestas. Cumpleaños y bodas y ani-
versarios y Navidades y día de la madre y día del padre y
días por inventar, en la avasalladora industria que pugna
por producir y distribuir todo lo que el mercado aguante.
En el fondo del negocio del regalo está una actitud valiosa

de cariño y sorpresa sin la que los supermercados no podrían subsistir. El hecho es que dar un objeto significa en último término darme a mí mismo. El regalo que hago es parte de mi ser, es mi mensajero, mi afecto, mi voz. Serán flores o joyas, será un libro o incluso dinero, pero de mí sale, toma mi lugar, dice con lenguaje claro y permanente que estoy alargando mi mano, abriendo mis ojos, dando algo en prenda y garantía de que quiero darme a mí mismo en cuanto me sea posible. El único regalo que de veras puedo hacer soy yo mismo. Y cada paquete de regalo que yo envío es parte de mí en su contenido, su sentido, su presencia. Me defino a mí mismo en el regalo que escojo. Mi gusto, mi elección, el tipo de regalo que ha de reflejar la personalidad de quien lo da, tanto como la del que lo recibe, y su valor que mide en escala de números fríos mi aprecio por la persona a quien lo dedico. Todo eso queda cuidadosamente envuelto en la caja de regalo, con su papel de colores y el lazo dorado. Todo regalo ha de ser cuidadosamente envuelto, porque lleva el corazón dentro.

La pena es que los regalos se han hecho tan corrientes que, en vez de recordarnos su bello mensaje, lo oscurecen o incluso lo relegan al olvido. El regalo reemplaza al sentimiento, y el envío nos evita la presencia. Se recuerda el cumpleaños, se envía el regalo y se olvida a la persona. Quizá todo ello no era más que una marca en rojo en la página del diario y una orden a la secretaria para que encargara y mandara el ramo de flores. Hay agencias que hacen eso por suscripción anual, y que se encargan no sólo de enviar el regalo en la fecha exacta, sino de recordárselo a quien lo envía, para que luego no se sorprenda cuando le den las gracias. Triste devaluación de un rito valioso.

Si cada regalo es parte de mí mismo, al hacerlo debo avivar en mí el deseo de convertir el objeto material en entrega personal de ideas y afecto y vida. El regalo fundamental que puedo hacerles a mis amigos, a la sociedad, a todo aquel que me ve y me conoce, y que queda anunciado y significado en todos los demás regalos que yo haya hecho o pueda hacer, es el regalo de mi autorrevelación. No puedo dar más.

HAZ TUS MALETAS

«¿Cómo puedo revelarme a ti cuando no me conozco a mí mismo?» Esta queja nos lleva a ahondar en la teoría y práctica de las relaciones humanas y nos descubre la raíz más profunda de la duda, la timidez y la inhibición que frustran nuestros esfuerzos por acercarnos a los demás de manera más espontánea y efectiva. ¿Cómo puedo hablar de autorrevelación cuando estoy hecho un lío conmigo mismo? ¿Cómo puedo enseñar a otros mi verdadero rostro cuando yo aún estoy por descubrirlo? Los mayores sabios de la humanidad en todos los climas y culturas han declarado que la tarea principal de todo ser humano es contestar a la pregunta «¿Quién soy yo?», y la vida entera se nos va en tratar de entender el sentido de la pregunta, ya que no en encontrar la respuesta. Y sin esa respuesta, ¿cómo puedo embarcarme en la aventura de la comunicación personal, que en su totalidad depende de ella?

El rey quería casar a su única hija con el hijo de un rey poderoso en una región lejana, y envió una embajada presidida por su gran visir, con el pretexto de establecer relaciones comerciales, pero con la misión confidencial de proponer la boda y conseguir que el príncipe extranjero pidiese la mano de su hija. Cargaron al visir de regalos y honores para el futuro suegro, pero su edad y su experiencia lo habían hecho sabio y desconfiado, y pidió también algo que no estaba en las listas de mercancías que iban a ir a lomos de camello en la caravana oficial. El príncipe podría bien querer saber qué aspecto tenía su futura esposa, antes de comprometerse a nada, y aquí un retrato vendría bien para satisfacer tan legítima curiosidad. El rey también era desconfiado, y pensó que llevar sólo un retrato, sin antes saber qué clase de mujer le agradaba al príncipe, era un riesgo que no estaba decidido a correr; así, ordenó que se pintaran doce retratos de doce bellezas del reino, incluida la princesa. El visir debería primero usar todas sus artes y diplomacia para averiguar el tipo de mujer que le gustaba al príncipe, y luego enseñarle el retrato correspondiente. Más tarde, una vez que se hubiera concertado la boda, no sería difícil presentar a la verdadera princesa aun con el retrato equivocado. Al menos eso pensaba el rey. La princesa no estaba tan segura, y tramó otra intriga. Se unió a la comitiva real disfrazada de doncella, consiguió encontrarse a solas con el príncipe en su palacio, con lo cual se enamoraron el uno del otro y se evitaron los problemas y los riesgos. El visir no tuvo necesidad de recurrir a los retratos. El rostro verdadero de la princesa había valido más que ningún retrato. Y se celebraron las bodas reales.

Sin rostro no hay boda. Hace falta un rostro para que lo vea el príncipe; hace falta un rostro para la comunicación y la amistad y la vida. No valen los retratos, por artísticos que sean. Ha de ser mi propia cara, tal y como es, tal y como la voy conociendo, cuidando, amando yo mismo, para poder enseñársela después según el corazón me lo pida. Y aquí viene la crisis. No conozco mi propia cara. No conozco mi alma, mi carácter, mi ser. No me conozco a mí mismo. Me he dado por supuesto, y con esa idea general y borrosa me he ido defendiendo en la familia, en el trabajo, en la sociedad. Pero en verdad no me conozco. No me poseo a mí mismo. Y si no me poseo, ¿cómo puedo darme? Si no estoy en contacto conmigo mismo, ¿cómo lo puedo estar contigo? Si sigo confuso, aturdido, dudoso, ¿cómo puedo hablarte con claridad?

Podría comenzar por admitir que sigo confundido. Eso es por lo menos una comunicación válida. Dice las cosas tal como son, es sincera y humilde, y casi prepara también la respuesta inevitable de la otra persona, que está tan confusa o más en lo que respecta a su propio ser. Vamos en la misma barca. Uno de mis profesores, en mis largos años de estudiante, era tartamudo. Era penoso tener que escuchar sus atormentadas explicaciones, pero lo aguantábamos, ya que era un buen profesor, y nosotros éramos buena gente. Un día, entre las primeras preguntas para ir conociendo a los alumnos al principio de curso, le preguntó a uno de los nuevos: «¿C-c-cuál es l-l-la d-d-derivada d-d-del c-c-coseno?» El muchacho se puso de pie, como era de rigor, y procedió a imitar al pobre profesor con evidente mal gusto: «L-l-la d-d-derivada d-d-el c-c-coseno es m-m-menos s-s-seno». Todos nos quedamos horrorizados y contuvimos la respiración, en espera de la tormenta. El profesor, que tenía muy buen carácter, se sintió, sin embargo, ofendido, y protestó tartamudeando más todavía por el enfado reprimido: «N-n-no s-s-se ría usted d-d-de m-m-mí. B-b-astante d-d-desgracia t-t-tengo c-c-con s-s-ser t-t-tartamudo». A lo cual el muchacho, señalándose a sí mismo a la desesperada, contestó con sincera ansiedad: «¡¡¡Y-y-yo t-t-también s-s-soy t-t-tartamudo!!!» Ni que decir tiene que no le volvieron a preguntar la lección en todo el año. Y, para consuelo de tartamudos, ese muchacho es hoy obispo de una floreciente diócesis.

Todos somos tartamudos a la hora de dar la lección. Bueno es saberlo, para perder miedo y entrar con más facilidad en el diálogo. Pero, si vamos a seguir tartamudeando toda la vida, la comunicación puede hacerse penosa, y los oídos se llenarán del staccato de las consonantes repetidas. Es hora de desatar la lengua, es decir, de desatar el alma, resolver nuestros complejos, quitar los velos y descubrir nuestros rostros ante nosotros mismos para poder revelárselos a los demás. De hecho, una de las grandes ventajas de este ejercicio de autorrevelación es que nos dirige y nos impulsa a conocernos mejor, que es la base del avance personal en la vida. Hay remedios para la tartamudez del alma si seriamente queremos corregir los defectos de una comunicación floja.

Otro paso adelante. No nos conocemos a nosotros mismos, porque no nos hemos hecho a nosotros mismos tal como ahora somos. No somos nuestros propios dueños y maestros en nuestros puntos de vista, mentalidad y principios. En gran parte, somos el resultado de las convicciones, prácticas e influencia de quienes estuvieron a nuestro alrededor desde el día en que nacimos. Nos han moldeado la familia, la atmósfera y las circunstancias, antes de que pudiéramos moldearnos por nuestra propia mano. Esto puede ser una revelación que levante protestas, y puede ser también una indicación valiosa para penetrar más adentro en nuestra vida y orientar sus rumbos. No nos hemos hecho a nosotros mismos por dentro, como no nos hemos hecho por fuera. No hemos escogido nuestro entorno, nuestra herencia, nuestra educación o nuestra sociedad, y desde nuestra infancia se nos han dado valores, principios, hábitos y tendencias que, sin duda, son válidos y nobles en sí mismos, pero que no los hemos escogido nosotros. Nuestro taller mental ha sido instalado por otras manos, manos cariñosas y competentes, sin duda, en su generoso cuidado, pero manos extrañas al fin y al cabo, aunque sean manos de padres y madres y maestros y profesores que han moldeado nuestra mente mientras nosotros jugábamos alegres los juegos de la niñez y la juventud. Para cuando despertamos, nuestras rutas mentales estaban fijadas, y nos encontramos aceptando y rechazando lo que nos habían enseñado a aceptar y rechazar. Esto era útil, quizá incluso necesario, y en todo caso es práctica universal. Podíamos continuar por los caminos de la vida con mapas detallados y direcciones fijas. Eso facilita el viaje, y la facilidad nos hace olvidar la falta de espontaneidad en el itinerario. Aceptemos lo que de bueno tiene este sistema, pero no por ello olvidemos el precio que pagamos. Entre muchas ventajas que agradecemos, estará bien recordar que para este viaje no hemos hecho nosotros mismos nuestro equipaje.

Esto puede ser peligroso. De hecho, no hacer uno mismo el equipaje puede crear problemas en los viajes de hoy, como tuve oportunidad de comprobar por mí mismo no hace mucho. Salía yo de viaje por avión y, al acercarme al mostrador de facturación, dos fornidos oficiales del aeropuerto me pararon y me dijeron que tenían que hacerme unas preguntas. Uno de ellos señaló el carrito en que llevaba yo las maletas y me preguntó: «¿Ha hecho usted mismo su equipaje?» Contesté que así era, en efecto. Entonces su compañero, en secuencia que parecía bien ensayada, como si fueran dos presentadores de televisión, me urgió con una sonrisa significativa: «¿No le habrá ayudado su mujer a hacer las maletas?» Les expliqué piadosamente que yo era sacerdote, y las presentes normas del Vaticano no me permitían obtener el tipo de ayuda que ellos parecían indicar. Tan cándida declaración no consiguió desanimarlos en su empeño, y ahora deseaban saber —era el primero a quien le tocaba preguntar— si había dejado yo las maletas por algún tiempo fuera del alcance de mi vista, cosa que no tengo costumbre de hacer, ya que aprecio lo poco que tengo y no me haría ninguna gracia perderlo a beneficio de algún verdadero profesional del oficio. «¿Había metido en el equipaje algún objeto afilado, aparato electrónico, encendedor o explosivos?» Para entonces comencé a pensar que habría sido más breve si me hubieran abierto las maletas y las hubieran revisado de arriba abajo; pero había que seguir el protocolo y contestar ingenuamente si llevaba explosivos o no. Por fin pasé el examen, pero me quedé con la curiosidad de saber qué destino le aguarda al viajero incauto que confiesa que su mujer le ha hecho las maletas. Siempre me enorgullezco de hacer bien las maletas, y ahora caigo en la cuenta de que debo esa habilidad a mi estado célibe.

No quiero viajar por la vida con el equipaje que otro me ha hecho. Por sabio y cariñoso y competente y bien intencionado que él o ellos hayan sido, quiero hacer yo mismo mi equipaje y ser personalmente responsable de lo que llevo en la mente y en el corazón. Eso no quiere decir que vaya a tirar las maletas por la ventana, sino, sencillamente, que voy a abrirlas en la intimidad de mi habitación y en la paz de mi alma, voy a ir sacando uno a uno todos los objetos que hay dentro, voy a echarle un buen vistazo a cada uno, y luego voy a decidir, sin prejuicios ni favoritismos, sino con decisión personal y voluntad responsable, si quiero que continúe formando parte de mi equipaje de hoy, o si más bien prefiero dejarlo fuera y reemplazarlo por otro artículo mental más en consonancia con mis necesidades de hoy. Bien sencillo y bien sano. Y entonces podré contestar a toda clase de preguntas sobre mi equipaje a quienquiera que desee preguntarme. Nada de bombas en mis maletas.

ME AMO, ME...

Avanzamos paso a paso. Hemos visto que las relaciones humanas necesitan comunicación, la comunicación se basa en la autorrevelación, y la autorrevelación no puede existir sin el conocimiento propio. Ese proceso demuestra y desarrolla el principio de que las relaciones moldean de hecho nuestra vida. Ellas son la escuela del carácter que nos forma por dentro en las asignaturas diarias del pensamiento y el afecto. Todos los caminos del conocimiento propio acercan a la plenitud de la personalidad.

Ese autoconocimiento tampoco es fácil. Quiero conocerme mejor a mí mismo para poder revelarme a mis amigos, pero al tratar de arremeter con la empresa me veo atenazado por miedos ocultos y resistencia interna. No quiero ver mi propia cara. Cuando visité el célebre hotel Tree-Tops en Kenia, y contemplé desde la seguridad de su galería de troncos, edificada literalmente sobre copas de árbol, los innumerables animales que venían de noche a aplacar su sed en la pequeña laguna al pie de nuestros árboles, el guía nos explicó que los animales salvajes prefieren beber de noche, porque de día ven su reflejo en el agua al beber, y eso les asusta. Algo tenemos en común con los animales de la selva. Evitamos ver nuestra propia imagen.

Si no nos miramos, es porque no nos gustamos del todo a nosotros mismos, y esto nos trae de lleno a la idea con que abrimos estas consideraciones, es decir, la constatación de que todas las relaciones afectivas en nuestra vida tienen doble filo, y el amor y el odio se alternan inevitablemente en el ciclo vital de nuestra compleja existencia. Si esto es verdad con respecto a los demás, también lo será con respecto a nosotros mismos, y así nos encontramos con el hecho interesante y no del todo inesperado de que también somos para nosotros objetos de odio tanto como de amor. Me amo y... me odio. No podía ser de otra manera, si reflexionamos en que nuestra manera de tratar con los demás es esencialmente una proyección de la manera como nos tratamos a nosotros mismos. Adoptamos una actitud de amor y odio para con los demás, porque por dentro habíamos adoptado una actitud similar para con nosotros mismos. Sentimientos encontrados rigen nuestras vidas tanto hacia fuera como hacia dentro, y el estudio de nuestras relaciones con los demás nos lleva a entender mejor el acertijo vivo que somos nosotros.

Una vez, una joven que me estaba hablando en vagos círculos concéntricos y lejanos sobre sus dificultades en la vida de sociedad, se paró de repente, se echó a llorar, y desveló por fin penosamente la verdadera causa de sus sufrimientos y complejos. «No me gusta mi barbilla», dijo entre sollozos y lágrimas y en un tono que no admitía consuelo alguno. Yo procuré echarle un vistazo de lado, sin llamar la atención en cuanto fuera posible; y tenía razón: no podía gustarle su barbilla, porque sencillamente no tenía barbilla. Vista de frente, tenía una cara bien agradable, con rasgos delicados, frente amplia, nariz proporcionada y ojos bellos; pero un enfoque de costado revelaba que la línea que le iba desde el labio inferior hasta la nuez en el cuello era una curva de retroceso constante sin nada del saliente pronunciado que se espera en un perfil normal, y causaba una extraña impresión al contemplarla. Su descripción de la situación era correcta, pero nada se podía hacer con su barbilla, ni podía ella permitirse el lujo de la cirugía facial para corregir la fachada. Tendría que vivir con su barbilla, o sin ella, el resto de su vida. Claro que siempre podía, ajustando astutamente el ángulo de ataque, arreglárselas para presentar la cara de frente al público; pero, si tenía varias personas alrededor al mismo tiempo, iba a necesitar mucha destreza y mucha gimnasia para volver la cabeza rápidamente cada vez, no sin peligro para su delicado cuello. Decididamente, la respuesta a sus lágrimas no iba por ahí.

No es infrecuente encontrarse con gente a quien desagrada, de manera más o menos abierta, alguna parte de su organismo o algún rasgo de su carácter. He visto a un calvo hacer broma de su propia calva a la desesperada, en lo que sólo era un triste esfuerzo por convencer a sus amigos y a sí mismo de que su calva no le importaba, cuando en realidad la odiaba y lamentaba desde lo más profundo de su ser, como sus bromas fuera de lugar demostraban a todas luces. Conozco a un muchacho que viste camisas de manga larga y cuello cerrado en los días más calurosos y pesados de los monzones indios para tratar de ocultar sin éxito las manchas blancas causadas en su piel morena por la falta de pigmentación llamada «leucoderma», que, aunque no es contagiosa ni infecciosa, resulta fea e inaceptable en sociedad, dado su nombre popular de «lepra blanca» y el desagradable contraste en el color de la piel. He visto a chicas quedarse en casa por una erupción de granos en la cara o un ataque de conjuntivitis que les afeaba los ojos. Y mil veces he compartido el calvario académico del estudiante que, por despierto y hábil que sea en otras cosas, no logra superar el nivel oficial de los estudios y se ve obligado a repetir exámenes y repetir curso, con vergüenza social y sufrimiento propio. Defectos físicos o académicos pueden causar verdadera angustia a la persona a quien afectan por dentro o por fuera, y ninguno de nosotros está enteramente libre de ellos. Por eso es importante descubrir y adoptar las actitudes que nos ayudarán a rebajar el daño que nuestros defectos pueden causarnos.

Se nos exhorta a que nos aceptemos tal como somos, y es consejo sano y sabio si los hay; pero es más fácil decirlo que hacerlo. «Acepta tu barbilla tal como es», puede ser la recomendación del manual del psicólogo profesional; pero yo no tendría el valor de decirle eso a esa muchacha que tengo delante mientras llora y lamenta su accidente facial. Es obvio que ella odia su barbilla, y el único comienzo posible, siempre con gran tacto y delicadeza, será el ayudarla a decirlo sin duda ni vergüenza. Ella ya ha dicho que no le gusta su barbilla, y si yo ahora le digo muy suavemente y con cariño en la voz: «Tú realmente detestas tu barbilla, ¿no es verdad?», seguro que ella dirá que sí con la cabeza, mientras las lágrimas le siguen rodando por las mejillas. Dejemos que corran las lágrimas, que se ventilen los rencores, que salga el resentimiento y se exprese libremente en gesto y palabra. La chica sin barbilla odia su barbilla, el calvo odia su calva, el muchacho con leucoderma odia las manchas descoloridas en su piel, y el estudiante suspendido odia su falta de talento o de memoria o de concentración para conseguir lo que los demás han conseguido tan fácilmente. Nada ganamos con quitarle importancia al hecho y disimular el dolor. El dolor está ahí, y reconocerlo es el primer paso para curarlo. Rechazo con toda mi alma este defecto de mi alma o de mi cuerpo, y mentiría si dijera otra cosa. Dejadme que sienta el enfado y exprese mi frustración. Sólo entonces podré empezar a ver cómo puedo ir arreglando las cosas por dentro.

Hemos visto que nuestras relaciones con los demás comienzan a revelar sus secretos y a dejarse manejar desde el momento en que caemos en la cuenta de que son relaciones de amor y odio; y si eso es verdad en nuestras relaciones con los demás, también lo es en nuestra relación con nosotros mismos. También para con nosotros mismos tenemos esa doble actitud: nos amamos, como sin duda lo hacemos, por nuestro propio interés y desde el primer instinto de conservación; y al mismo tiempo nos odiamos a nosotros mismos en diversos aspectos y de diversas maneras, como nuestra experiencia lo demuestra ampliamente y nuestra memoria testifica. Y no hay que asustarse de ello. Al contrario, ya hemos constatado cómo nuestras relaciones con los demás mejoran cuando vemos y aceptamos el hecho de que siempre han sido, son y serán relaciones de amor y odio, y lo mismo sucederá cuando nos enfoquemos a nosotros mismos y apliquemos al legítimo amor que nos tenemos el análisis que aclara toda relación y la dirige y hace profundizar en mayor entendimiento y mejor práctica.

Esto lleva también a entender mejor y hacer más eficaz el principio fundamental de la autoaceptación. No se trata de hacernos creer que aceptamos lo que sabemos muy bien que en el fondo no aceptamos, o de forzarnos a decir que nos gusta lo que nos disgusta con toda el alma; pero sí podemos aceptar el hecho de que no aceptamos esos rasgos o esos hechos, si es que esto no parece una adivinanza para empezar. Parecen equilibrios de cuerda floja, pero es algo más fácil de lo que parece. La muchacha no puede decir con sinceridad «Acepto mi barbilla», porque no la acepta, y no hay consejo, persuasión, amenaza o intimidación que le pueda hacer decir eso con verdad y, consiguientemente, con provecho; pero sí se puede quizá invitarla a probar a decir con suavidad y sin forzarse: «Acepto el hecho de que no acepto mi barbilla». Es decir, acepto el hecho de que no me acepto a mí misma del todo; acepto el hecho de que hay cosas en mí que no me gustan; acepto el hecho de que a veces incluso me odio a mí misma. Este tratamiento puede facilitar la cura.

Pongo el caso de que me acaban de ganar en un juego. Puedo decir que no me importa en absoluto, que lo importante no es ganar, sino participar (la gran mentira de los juegos olímpicos; ¿para qué dan medallas, entonces?), que estoy perfectamente satisfecho con el resultado, que ha sido justo, ya que mi contrincante jugó mejor...; y si digo todo eso, miento, porque no es así como me siento por dentro. Alguien ha dicho que hay dos clases de perdedores: los buenos perdedores y los que no disimulan. Me han vencido, lo he sentido y, precisamente porque el resultado ha sido justo y no puedo quejarme de que hayan hecho trampa, ni siquiera de la mala suerte, me siento aún peor, estoy molesto conmigo mismo; y así, en cierta manera reducida, pasajera, mínima pero real, me odio a mí mismo por haber jugado mal y haber perdido, cuando podía perfectamente haber ganado con un poco más de esfuerzo y habilidad. Me siento disgustado, y lo sé muy bien, y no me escapo del disgusto. Acepto el hecho de que mi derrota me ha afectado, que no soy un «buen perdedor», que me molesta perder y que voy a sentirme mal por dentro un buen rato. Tampoco tengo que decir todo esto en voz alta ante todo el mundo, y puedo muy bien mantener la sonrisa al felicitar al vencedor; pero por dentro sé muy bien cómo me siento, y esto da mayor paz y mejor equilibrio mental. Ni tampoco quiero decir que aceptar que me siento mal por dentro va a suponer que sienta furia o frustración o autocompasión, que es peor, sino sencillamente que estoy dolorido, que lo siento, que no lo disimulo ante mí mismo, y que lo tomo como parte de la vida en sus inevitables altibajos, al tiempo que me digo a mí mismo que no por eso ha llegado el fin del mundo. Acepto el hecho de que no soy un santo excelso, como tampoco soy un yogui profesional, indiferente al frío y al calor, si es que hubo alguno. Siento los cambios de temperatura, tanto en el cuerpo como en el alma, y los tomo como los montes y los valles del paisaje de la vida, sin devanarme los sesos por ello ni tratar de entender el misterio definitivo del sufrimiento humano. Me acaban de derrotar en un partido amistoso, y eso es todo. Desde luego que seguiré jugando.

Más difícil de tratar que los defectos físicos o contratiempos externos son las estupideces que a veces cometemos y las decisiones equivocadas que tonta e inexplicablemente tomamos. Hago algo que, pensándolo bien después de hacerlo, y cuando la decisión ya no se puede cambiar, resulta a todas luces una idiotez tan solemne como si la hubiera cometido un borrico minusválido en un momento de debilidad mental. Y entonces sí que me vitupero y me odio a mí mismo. ¿Cómo puedo yo haber hecho eso? ¿Cómo puedo ser tan ciego? ¿Cómo es que no caí en la cuenta de lo que se me venía encima inevitablemente si lo hacía? ¿Qué dirá la gente? Y lo que es mucho peor, ¿qué puedo pensar yo ahora de mí mismo, cómo puedo fiarme de mí mismo, qué garantías tengo de que no volveré a hacer semejante estupidez? ¿Cómo puedo enfrentarme a la vida cuando veo lo imbécil que soy? Me enfado conmigo mismo por lo que he hecho y por haber minado mi autoestima y afeado mi autoimagen. Estas consecuencias personales de mi equivocación son mucho peores que las molestias que me puedan haber causado los efectos externos de mi malhadada decisión. El odio contra sí mismo, por muy oculto y pasajero que sea, puede causar estragos en nuestra vida.

Este mismo año tuve yo que tomar una decisión así, y cometí una tontería. Estaba en la India, ocupado en mi trabajo normal de hablar y escribir, cuando recibí una carta algo inesperada de mi madre desde España. En ella escribía que se sentía falta de fuerzas, que presentía no iba a vivir ya mucho, que me echaba de menos y le pedía a Dios que fuera yo pronto a verla. No es que fuera una situación extrema, y ella y yo lo sabíamos, pero tenía ya 97 años, había tenido un colapso unos meses antes en mi presencia cuando el médico de cabecera me dijo a mí que aquello podía ser el fin, o al menos el principio del fin, y yo conocía bien su extrema necesidad y mi propio deseo de hacer por ella en sus últimos días lo que no había podido hacer en toda su vida. La dejé para entrar jesuita cuando yo tenía 15 años, me vine a la India a los 24, y nunca había podido pagarle la entrega y los sudores con que ella me sacó adelante desde la pérdida de mi padre, cuando yo tenía 10 años, seguida de la pérdida de nuestra casa y cuanto teníamos, en la guerra civil. Mi trabajo en la India no era importante en aquel momento, al estar yo ya jubilado de la cátedra, y bien podía acudir al lado de mi madre y consolarla en la última etapa de su vida. Pero había algo que dificultó mi decisión. Precisamente entonces iba a tener lugar en la India una reunión a la que yo tenía mucho interés en asistir. El grupo que hacía quince años habíamos hecho el curso de «Sádhana» un año entero bajo la dirección del padre Anthony de Mello, nos íbamos a reunir dos semanas para compartir experiencias, evaluar memorias y soñar juntos el alegre futuro. Era una ocasión única, que no volvería a repetirse fácilmente, y que a mí me interesaba enormemente. Y aquí vino el problema. ¿Voy o no voy? ¿Sacrifico una cosa o la otra? Para entonces estaba yo intranquilo, preocupado; me dije a mí mismo que el cuarto mandamiento era antes que mis intereses personales, y le envié un cable a mi madre para anunciarle mi llegada.

Fui a España, y me encontré con que la urgencia no era tan grande. Podía yo haberme quedado perfectamente en la reunión en la India, e ir después tranquilamente. El cuarto mandamiento podía haber esperado unos días, y yo podía haber conseguido las dos cosas sin problemas, la reunión y la visita. Pero ahora era ya demasiado tarde. Había pasado la oportunidad. Y me eché la culpa a mí mismo sin piedad. Me había estropeado yo las cosas a mí mismo. Me había precipitado tontamente. No había estado en contacto conmigo mismo, con mis sentimientos verdaderos y mis necesidades reales. No había enjuiciado bien la situación, no había pesado objetivamente las circunstancias, no había mantenido el justo equilibrio de valores. Y lo había echado todo a perder. Me sabía perfectamente toda la teoría de la elección bien hecha, he dado cursos y escrito libros sobre el tema, he aconsejado a mucha gente en sus decisiones y discernimientos, y ahora que me tocaba a mí tomar una sencilla decisión, tropiezo y me caigo de narices. Me odié a mí mismo con impía venganza. Mis amigos me consolaron al contarles yo mis cuitas, pero su benevolencia sólo sirvió para acentuar mi malestar. Me había equivocado de medio a medio, y no había consolación posible. Para entonces ya había caído en la cuenta de que el dolor que yo sentía por haberme equivocado era mayor que el de haberme perdido la reunión.

Traté de aliviarme con la palabras de Fritz Perls que yo mismo he citado a otros en ocasiones semejantes: «Amigo, enorgullécete de tus equivocaciones, porque en ellas has dado pedazos de ti mismo». Es verdad que en mis equivocaciones me revelo a mí mismo, ya que allí aparezco sin censura ni retoques. Mis errores son ventanas freudianas por las que entreveo mi subconsciente, y toda oportunidad para verme y aun mostrarme tal como soy debería ser razón para aprovecharme y alegrarme. Pero las teorías más transparentes se hacen opacas cuando uno trata de aplicárselas a uno mismo. También intenté consolarme con el consejo confidencial de mi buen vecino, sabio pensador y escritor de fama en la India, Bakul Tripathi, que la víspera de marcharme yo me había animado con su experiencia personal del complejo de culpabilidad que llevaba de por vida por no haber hecho por sus padres todo lo que, ahora que ya no estaban, pensaba debería haber hecho. Su amistosa revelación devolvió la paz por un rato a mi turbado espíritu, pero no duró mucho, y volví a la rabia y al abatimiento. Trajera lo que trajera el futuro, por ahora yo estaba desolado y deprimido. También se me ocurrió que esta penosa experiencia podía ayudarme a mí más adelante a ayudar a otros, y de hecho me está sirviendo ya como un buen ejemplo de una situación que quiero ilustrar; pero, hablando de verdad, no me entusiasma la idea de pasarlo yo mal sólo para poder decirles luego a otros cómo se siente uno bajo el temporal. No, no encontraba consuelo en libros ni en amigos, y me quedé contemplando mi propio dolor con penosa sorpresa. Sólo la admisión inocente de mi error y el calmante paso del tiempo lograron sanar la herida profunda.

No necesito ahora explicar cómo este mismo incidente me convenció a mí, en teoría y experiencia, de la realidad de la relación de amor y odio aun con aquellos a quienes más queremos y ayudamos, sin culpa de nadie pero con dolor de todos. Al menos quedará claro que no estoy escribiendo este libro metido en una biblioteca de consulta, sino por mi propia experiencia y reflexión personal. No hay mejor escuela de vida que la vida misma.

PAGA LAS FACTURAS

Una situación que en gran parte provoca la reacción del «odio» en la relación bipolar de amor y odio es la que acaba de aparecer en el capítulo anterior. Me refiero a la actitud, siempre bien intencionada y pocas veces bien entendida, que adopta una persona al sacrificarse por otra a quien quiere y aprecia especialmente. Esta actitud tiene su valor positivo. La generosidad del sacrificio propio puede ser medida de amistad entre amigos y de lazos de sangre entre parientes. Si estoy dispuesto a sacrificarme por ti, eso quiere decir que te amo y que mi amor es sincero; mientras que, si me echo atrás ante el sacrificio, me aferro a mis intereses y me niego a sufrir molestias por tu causa, mi pretendido amor no sale muy bien parado, y todo lo que demuestro es mi egoísmo. El sacrificio es la prueba del amor, y si quiero amar a mis semejantes he de estar dispuesto a sacrificarme por ellos en cosas grandes y pequeñas, según se presenten.

Todo esto es verdad, y es muy bello y muy profundo, y la historia de la humanidad sería mucho más pobre si le arrancaran todas las páginas en que han quedado inscritos los sacrificios generosos que ennoblecen sus relatos. Llegamos a lo más alto que podemos como seres humanos cuando salimos de nosotros mismos en dádiva abierta y personal para el servicio y el amor de nuestros compañeros de humanidad. Pero el sacrificio tiene un escollo, y es importante descubrirlo y mantenerlo a la vista. El sacrificio requiere una víctima, y si el abnegado voluntario llega a adquirir complejo de víctima, esto puede dañarle a él y a la persona por quien se sacrifica. La acción, sin duda, es noble, pero los sentimientos secretos que la envuelven pueden ser deformes y equivocados y, así, resultar dañosos sin que se caiga en la cuenta de ello. Yo hago algo por ti hoy en lo que por fuera parece una acción de altruismo desinteresado, y por dentro me lo parece así también a mí mismo cuando pienso en ello; pero por lo bajo, en los archivos ocultos de mi subconsciente, he tomado nota de mi sacrificio, y un día te exigiré plena compensación por él o, lo que será peor, te cobraré mi ayuda generosa de hoy con el rencor permanentemente reprimido que te guardaré, y en cualquier caso quedará dañada nuestra amistad.

Las facturas se pagan en este mundo, y los favores nunca son gratis. Cuando vence el plazo, llega el aviso, y las notificaciones de pago no alegran a nadie. Quizá nosotros mismos pensábamos que al sacrificarnos por otro lo hacíamos por puro amor y buena voluntad de ayudar, sin mezcla de interés propio; pero nuestra mente se las sabe todas y ve muy bien, aunque no lo diga, que el servicio prestado llevaba un gancho escondido para sacar ventajas más tarde, en justa compensación. A veces el anzuelo se ve, y cualquier persona avispada, incluso el mismo pescador, puede verlo; pero la mayor parte de las veces pasa desapercibido, y causa tanto más daño cuando se clava en la carne viva. He aquí un caso en que el anzuelo se ve, tal como lo cuenta Erik Blumenthal en su libro *To Understand and Be Understood* (Oneworld Publications, London 1987, p. 96):

«La familia entera está sentada a la mesa. Celia, de dieciséis años, y su madre están sirviendo y ayudando a los dos hermanos pequeños. El padre de Celia está trinchando la carne y les da los mejores trozos a su mujer y a su hija, mientras recalca lo sacrificado que es. Se queja de los malos modales de los niños, y pasa a los demás con magninimidad lo que queda de la ensalada, antes de repetir él. Luego calcula lo que una comida así habría costado en un restaurante. Celia, desde luego, no se deja engañar por la conducta de su padre, y no responde con la recompensa que éste espera: su aprecio. El padre se ha recompensado a sí mismo demostrando su generosidad. Si les hubiera dado las mejores porciones por amor, se lo habrían apreciado, pero habría sido mucho mejor hacerlo de manera que apenas lo hubieran notado. En ese caso, él mismo habría sentido el bien que hacía y se encontraría en una posición más satisfactoria».

Aquí el padre era lo suficientemente inocente para anunciar a los cuatro vientos su generosidad, y recibió lo que merecía: la callada indiferencia de los demás. Si quieres hacer algo por nosotros, al menos ten la decencia y la elegancia de no refrotárnoslo en las narices. Y si nos lo refrotas, ya has pasado factura y se acabó el negocio. Más sutil es el caso en que el padre siente por dentro que se está sacrificando para dejar los bocados más exquisitos a su familia, pero no deja que se le note por fuera. Aquí no pasa factura abiertamente, pero sí espera el pago en afecto y aprecio, y quedará defraudado si no lo consigue. Y más peligroso aún es el caso en que él sí espera el pago, pero sólo en el subconsciente, sin caer explícitamente en la cuenta de ello, y cree de veras que se cuida de su familia por puro amor, sin egoísmo alguno. Entonces la cuenta quedará pendiente en su memoria secreta, y la deuda sin cobrar minará el afecto y la confianza que existían entre acreedor y deudor. Las facturas hay que pagarlas pronto.

En la India tenemos una costumbre muy práctica en las bodas. Durante la recepción solemne, en que el novio y la novia se sientan en sendos tronos bajo un rico dosel que hace resaltar el atractivo de su juventud y la elegancia de su belleza, los invitados van acercándose uno a uno en flujo multicolor de educado desorden, saludan y felicitan a la feliz pareja, se sacan una foto con ellos para el álbum de recuerdo y se retiran respetuosamente, dejando en manos de los novios un paquete, un envoltorio o, sencillamente, un sobre que los novios reciben agradecidos y pasan rápidamente a un ayudante atento y eficaz que se hace cargo de la mercancía sin llamar la atención y hace desaparecer prontamente los paquetes de la vista del público, poniéndolos a buen recaudo en lugar seguro. La participación de boda puede muy bien llevar esta frase impresa: «No se admiten regalos»; pero eso es más bien un recuerdo para que los traigan, y en ningún caso es objeción para que se acepten inmediatamente. Pero antes de almacenar el regalo en la seguridad de la trastienda, hay que cumplir con una ceremonia importante. Un amigo bien trajeado se sienta al lado del trono nupcial con papel y pluma en la mano, y anota el nombre de cada donante con la descripción del regalo, si era un objeto, o la cantidad si era dinero. Esta lista, que se hace y se guarda con cuidado, tiene una finalidad evidente. Cuando haya otra boda en alguna de las familias que han acudido a la de hoy, se sacará la lista con cuidado y se consultará, y el tamaño del regalo con que ha de irse a la recepción se calculará fácilmente con referirse al regalo recibido entonces, e igualarlo. Cuestión de aritmética práctica. Como la inflación suele ser alta por aquí, el precio puede juiciosamente multiplicarse por un coeficiente cuidadosamente calculado según el aumento del índice de precios al consumo desde la última boda, y el regalo se escoge en consecuencia. Eso lo simplifica todo. Sabemos muy bien que del otro lado anotarán el valor de nuestro regalo, y las buenas relaciones entre las dos familias quedan perfectamente aseguradas, al menos hasta la boda siguiente. Es un método práctico y sencillo. Se cancelan las deudas y se pagan las facturas en la alegre fiesta de una boda feliz. Y se aprende la lección de no quedar a deber ni que nos deban en los asuntos de la vida. Las cuentas claras ayudan a las relaciones claras.

El Mul-lá Naserudín se perdió una vez y llegó a un país en el que nadie lo conocía y él no conocía a nadie.

Pero la gente era amable, y le ofrecieron toda la ayuda que necesitaba para que se estableciera entre ellos. El sastre le hizo un traje gratis, el zapatero le hizo zapatos a medida, alguien le dio una casa, otro le dio trabajo, y por fin obtuvo también una mujer y se asentó felizmente en aquel lugar. No hacía más que admirar la hospitalidad que había encontrado, y así se lo decía con frecuencia a su mujer. Un día, cuando necesitó unos zapatos nuevos, se fue al mismo zapatero que le había regalado el primer par, y le encargó otro; y el zapatero se lo hizo, pero esta vez le cobró el doble de lo corriente. Lo mismo le pasó con el sastre cuando necesitó un traje nuevo, y con todos los que le habían ayudado tan generosamente en sus primeros días. Todos le cobraban el doble o le pedían un favor correspondiente. El Mul-lá le comentó a su mujer esa extraña conducta de la gente, y ella le explicó: «En nuestra tierra los favores se pagan. Somos amables y pacientes, pero tenemos memoria y llevamos cuentas. Si les fuéramos a dar todo gratis a todos los que vienen por aquí, pronto nos arruinaríamos. Pero no te quejes, porque también te han dado algo por lo que no te van a cobrar doble, y ésa soy yo». Naserudín era demasiado caballeroso para llevarle la contraria a su mujer, pero también demasiado ocurrente para callarse, y le dijo: «Sí, pero ahora querrán que les dé hijos a cambio». Él tenía que decir siempre la última palabra.

Todo esto no quiere decir que no les podamos hacer favores a los demás, que no les podamos ayudar a costa nuestra o que no podamos o no debamos sacrificarnos por ellos. Lo que sí quiere decir es que tenemos que enderezar nuestra actitud en esos actos de servicio y ayuda, tenemos que aclarar nuestro enfoque y filtrar nuestros sentimientos con cuidado para ver lo que hay en ellos. No se trata de los hechos, que son buenos y loables en sí, sino de la actitud interna que los acompaña, y donde algún retoque puede ser necesario tanto en la teoría como en la práctica. Voy a intentar aclarar esto por medio de un ejemplo.

La mujer le propone al marido ir a pasar un mes al extranjero, ya que ambos tienen tiempo y dinero, y hace ya bastante desde que hicieron un viaje largo juntos. El marido escucha la propuesta y promete pensárselo y dar una respuesta pronto, pero desde el principio se encuentra sin ganas para el viaje. No le apetece. Él contaba con ese mes para hacer varias cosas que había que hacer en la casa, quería la paz y tranquilidad de una temporada consigo mismo y con su mujer en su propia casa, y lo último que se le habría ocurrido para unas vacaciones era un viaje al extranjero. Él sabe muy bien todo esto, siente dentro de sí la oposición a la propuesta de su mujer desde el principio, es consciente también del deseo de su mujer de viajar y de su verdadero interés en darle gusto a ella en cuanto sea posible, y se sienta a reflexionar sobre sus deseos encontrados y sobre la respuesta que en breve ha de dar a su mujer y el modo de expresarla. Un delicado ejercicio de diplomacia doméstica.

Puede decidir que no va, y puede decirlo de dos maneras: o con brusquedad o con delicadeza. Puede negarse suavemente, compensando a su mujer por la negativa con otros planes y con renovado afecto; o puede hacerlo con rudeza molesta y con acentos de dictador. Sencillamente, no quiere ir, e impone su voluntad desde el principio sin dar lugar a la negociación ni dejar un rayo de esperanza. Se acabó el asunto, y no habrá viaje al extranjero este año. Pero también puede decidir decir que sí al viaje, y ésta es la situación que requiere un análisis cuidadoso si queremos entender el juego sutil de argumentos y sentimientos en sus raíces ocultas y en sus consecuencias externas. El marido tiene ahora dos modos parecidos, pero esencialmente distintos, de decir que sí. Para proceder con claridad, los llamo el modo de «víctima» y el modo de «compañero», y funcionan de la siguiente manera.

En la modalidad de «víctima», el marido piensa como sigue, y su manera de pensar marcará, desde luego, su manera de hablar y la impresión que causará, sean cuales sean las palabras que use para disfrazar sus sentimientos y ocultar la realidad: «Yo no quiero ir, pero sólo por darle gusto a ella iré. Siempre tengo que ceder al final, de modo que más me vale ceder desde el principio. De nada me sirve luchar si sé quién va a ganar al final. Me horroriza la idea de un viaje al extranjero en este momento, y preveo un mes horrible en parajes intolerables con compañía espantosa. Pero me resignaré y me sacrificaré por mi mujer, como tantas veces lo he hecho desde el día en que nos casamos. Y que se entere de una vez la gente de qué marido tan complaciente tiene mi mujer». Aquí queda claro que el marido no quiere ir, cede solamente para agradar a su mujer, y siente y dice y proclama que se está sacrificando por ella al hacerlo así. Ya puede usar las palabras y el tono que quiera al anunciarle a su mujer su consentimiento, que su resentimiento se hará notar, y aumentará y fastidiará durante el fatídico mes de las tristes vacaciones y todo el resto de su vida conyugal. Hasta el punto de que habría sido mejor para la pareja negarse humildemente que resignarse a ir a regañadientes. El trato limpio siempre ayuda a la vida en común.

La modalidad de «compañero» toma un enfoque muy distinto, aunque el resultado parezca superficialmente ser el mismo. El marido piensa ahora, más o menos, de la siguiente manera: «No me agrada la idea de un viaje al extranjero por vacaciones, y me doy perfecta cuenta de ello. Pero, tomando en cuenta todo el conjunto de circunstancias, decido que sí que quiero ir, porque juzgo que a la larga esto será lo mejor para ambos. Si le digo que no, se enfadará conmigo, probablemente recaerá en una de sus depresiones, sufrirá todo el mes en casa y, encima, me hará sufrir a mí. Y aun después del mes no parará de sacarlo y mencionarlo y refrotarlo a la menor ocasión. Aun procediendo por puro egoísmo, me resulta más barato en todos los sentidos el viaje al extranjero, y así me trae mejor cuenta el ir. Si, encima, voy de buena gana, ella lo apreciará y se portará bien conmigo de las mil maneras que sabe bellamente hacerlo cuando quiere. De modo que allá voy, y voy porque quiero ir, y así mismo se lo voy a decir sin hacerla esperar». Aquí la lógica ha cambiado. El marido no es tonto, sabe muy bien lo que le gusta y lo que no, y no se olvida de que él, de por sí, no quiere ir, y si a él se lo dejaran no se movería de casa en todo el mes; pero se ve a sí mismo en el contexto más amplio de su matrimonio y su familia, cae en la cuenta de que su propio bien está inseparablemente ligado al bien de los que viven más cerca de él, y es lo suficientemente inteligente y generoso para ver que hacer felices a los demás, dentro de límites de protección y satisfacción que en este caso quedaban defendidos, es a fin de cuentas la mejor manera de ser feliz uno mismo. Y así él va finalmente porque quiere ir, y ahí está la importante diferencia.

La diferencia no es pura gramática. De decir «Yo no quiero ir, pero me sacrifico por ella» a decir «No me agrada la idea de ir, pero juzgo que, dadas las circunstancias, lo mejor es ir, y así decido y quiero ir por el bien de ambos», va la diferencia que inclina la balanza del amor-odio a un lado o a otro. Si algo falla durante el mes de vacaciones en el extranjero, el marido «víctima» encontrará la oportunidad que estaba deseando y estallará con rabia y venganza: «¡Ahí lo tienes! Tú querías venir, tú me obligaste a mí que no quería, tú nos has metido en este lío, y ahora haz tú el favor de sacarnos de aquí de alguna manera». Mientras que el marido «compañero» habrá integrado ya la controvertida decisión en su vida, y podrá reaccionar diciendo con verdad y comprensión: «Los dos estamos juntos en esto. Los dos queríamos venir, y los dos encontraremos ahora la salida de este lío». No es difícil ver cuál de las dos parejas va a tener unas mejores vacaciones.

Es perfectamente posible y profundamente sano el poder decir de todo lo que hacemos en la vida: «Lo hago porque quiero hacerlo». Nada de imposiciones de fuera, obligaciones resentidas, protestas reprimidas, conformarse por no tener otro remedio, aguantar por fuera y rebelarse por dentro. Nada de eso. Todo lo que yo hago, lo hago porque sincera y personalmente quiero hacerlo, no porque «tenga» que hacerlo. Es verdad que muchas de esas cosas me desagradan, las considero equivocadas, no las apruebo e incluso las lamento. Pero en el contexto más amplio y sabio y profundo de la vida y la sociedad y las circunstancias y la autoridad y la historia y el futuro y el cielo y la tierra, veo con ecuanimidad que la penosa opción puede a fin de cuentas ser la menos dañosa para todos aquellos a quienes concierne, y en consecuencia la acepto y abrazo con pleno conocimiento y voluntad. Ésta es una de las actitudes más liberadoras de la misma vida. Aun en la misma cárcel no seré un prisionero, porque, por injusta que sea la sentencia, y crueles los guardias, y lóbrego el calabozo, querré obedecer a las reglas mientras esté allí. Mahatma Gandhi pasó un tercio de su vida pública en la cárcel, y nunca fue más libre, respetuoso con las autoridades y cuidadoso en la observancia de todas las reglas y normas impuestas, que él aceptaba de buen grado, en suprema independencia y ejemplar alegría. No es el calabozo lo que hace al prisionero, sino su manera de verse en él.

Lo que me hace sufrir en semejantes circunstancias, lo que crea en mí el rencor, el resentimiento, la violencia y el odio, no es la situación en sí ni la justicia o falta de ella en lo que me toca sufrir, sino mi oposición interna a esa situación, esa persona o esa prueba. Una vez que desato el nudo de esa oposición interna, deseando desde dentro hacer lo que hago, se despeja el ambiente, cesa la presión y respiro desahogado. Para conseguir que nuestras relaciones de amor y odio se inclinen hacia el polo del amor, un paso importante es dejar de hacernos la víctima.

EL RIESGO DE ENFRENTARSE

Para ser efectivas en su papel fundamental de moldear nuestras vidas, las relaciones humanas han de ser bien definidas, firmes y enérgicas. Una actitud suave, distante, diplomática hacia aquellos con quienes tratamos a diario en el hogar y en el trabajo, puede guardar las condiciones de paz en un tratado oficial, pero no nos dará la fuerza, la solidez, el filo que la persona humana ha de alcanzar para su propia definición y su acción efectiva. Se necesita cincel para labrar la imagen. Se necesita el enfrentamiento para formar el carácter.

Si no hay retos en la vida, caemos en la mediocridad. La gran tentación del menor esfuerzo. Déjalo estar. No te muevas. Haz lo que hagan todos. No te metas en líos. Así es como mucha gente vive, por necesidad social o por voluntad propia, y los que así lo quieren tienen pleno derecho a hacerlo sin que los moleste nadie. Pero siempre se paga un precio por el conformismo y la pereza, y es el de rebajar el nivel existencial de la vida. Cuanto más me repliego sobre mí mismo, menos persona soy. Para que la personalidad florezca, necesita el aire libre, la lluvia y el viento; necesita el encuentro directo con otras personas para realizar su propio ser. Nadie se hizo grande en soledad.

Hay grupos de terapia que se llaman sencillamente «grupos de encuentro», demostrando con su propio nombre la importancia que el encuentro humano tiene para sanar y promover la personalidad. El mero hecho de encontrarse con otros en el terreno común de miradas cara a cara, críticas abiertas y sentimientos desvelados, abre nuevas posibilidades, despeja horizontes y anima a la acción. Y aun fuera de grupos de estudio, los encuentros diarios con otras personas, cuando realmente son encuentros entre personas, y no ceremonias rituales entre marionetas, pueden convertirse en escuela práctica de conocimiento propio y conducta mejorada. Lejos de evitar los encuentros diarios que nos brindan la oportunidad permanente del enfrentamiento personal, haremos bien en aprovecharnos de la ocasión y hacer el mejor uso posible de ella para afinar nuestra presencia en la sociedad, por nuestro bien y el de todos. El enfrentamiento bien entendido y practicado hace siempre bien a dos personas, y luego a muchas por su medio. Merece la pena aceptar el enfrentamiento.

Lo importante en el enfrentamiento es analizar bien el motivo que a él nos lleva. Los motivos son siempre difíciles de esclarecer, y más cuando son enfrentados. Hará falta toda la sinceridad y claridad y profundidad que podamos alcanzar para cuestionar a nuestra propia mente. El motivo que me mueve a enfrentarme con mi amigo no ha de ser el deseo de convertirlo a él o hacerlo cambiar en modo alguno de ideas o de conducta, por deseable que esto parezca; y si ése era mi motivo oculto, la comunicación está condenada al fracaso desde el principio. No me toca a mí cambiar la vida del vecino, y quiero purificar mi actitud y eliminar de ella, al tratar con otros y especialmente al enfrentarme con ellos, toda traza de paternalismo proselitista que, bajo cubierta de hacerlo todo por su bien, trata de dictarles lo que deben hacer, pensar, corregir o evitar. Semejante actitud destruye la comunicación. Tampoco es motivo justo de enfrentamiento el deseo de mejorarme a mí mismo, por necesario para mí y sutil para los demás que esto sea; porque entonces estoy utilizando a mi amigo como instrumento para mi provecho. El verdadero motivo del enfrentamiento fructífero es, no el mejorar a uno u otro de los enfrentados, sino el mejorar la relación que los une a ambos. Yo quiero a mi amigo, me quiero a mí mismo, sé que nuestra relación mutua es buena para ambos y que esa relación está ahora pasando por una crisis que yo puedo ayudar a resolver si lo digo y nos juntamos y lo discutimos juntos. Ésta es la genuina actitud que abre avenidas y establece el contacto. Y, una vez que haya contacto, todo irá bien para todos.

Cuando una nación se ve atacada, se unen todos los ciudadanos, se olvidan las disputas, se acalla la oposición y se establece la unidad firme y universal en todo el territorio. Algo semejante puede suceder cuando una persona se enfrenta a otra en palestra emocional. Todo enfrentamiento, por bien intencionado y bien llevado que sea, es un ataque a la persona, y por eso su primer efecto será el unir y juntar todos los aspectos del individuo para hacer frente unido a la situación de emergencia. Estamos siempre dispersos en nuestro ser; nuestros sueños, fantasías, escaramuzas, intentos, planes, retiradas, propósitos, nos llevan de un lado para otro, dejando pedazos de nuestro ser por todo el panorama de nuestras vidas. Nuestra fuerza se debilita, porque nuestros recursos se dispersan. Una manera práctica de volver a llamar a nuestras tropas y unificar el mando es aceptar el enfrentamiento con espíritu sano y enfoque sereno. Suena la trompeta en los oídos del alma, y al instante toda nuestra atención, talento, determinación, fuerza de voluntad, coraje y fe responden a la llamada y se unen en la santa causa. Un enfrentamiento bien llevado restablece y fortalece la unidad interior de quienes se enfrentan. Y al fortalecerse ambos, su mutua relación también se aprovecha de la nueva energía.

Hay que admitir la posibilidad de que el enfrentamiento se desvíe, resulte mal, y los enfrentados se vean heridos en sí mismos y en su propia relación. Aun en ese caso merecía la pena arriesgarse. Si la relación se rompe por una charla abierta, es posible que no fuera una relación tan firme, a fin de cuentas; y si había de quebrarse, más vale que lo haga cuanto antes. Más probable es que se trate sólo de un alejamiento temporal, y si la amistad era auténtica, volverá a reafirmarse, y los dos amigos volverán a encontrarse otra vez con mayor experiencia y mejor comprensión. El enfrentamiento deshace prejuicios, ayuda a conocerse mejor, a apreciar mejor a la otra persona y a desear continuar en la amistad. El verdadero enfrentamiento se basa en la confianza en sí mismo y en el amigo, y en el deseo de robustecer la amistad por todos los medios al alcance, limpiándola de dudas y reservas. Al final uno encuentra que nada, de hecho, había pasado, y se restablece la normalidad con la alegría de todos.

El Mul-lá Naserudín vio una vez un grupo de policías en la plaza del pueblo, y echó a correr inmediatamente a toda velocidad para escaparse. Los policías lo persiguieron calle tras calle y campo tras campo por todo el pueblo y los alrededores. Por fin, él se paró de repente, se dio la vuelta y dio la cara a sus perseguidores. Los policías casi se le cayeron encima con la velocidad que llevaban; por fin pararon y lo rodearon. Cuando todos recobraron el aliento, el Mul-lá preguntó: «¿Por qué me perseguíais?» Contestaron: «Porque te estabas escapando de nosotros». «Bien», replicó el Mul-lá, «pero ahora no me escapo de vosotros». A lo cual el jefe de la policía respondió: «Tampoco nosotros te perseguimos ahora». Y así acabó el enfrentamiento. Ésta es la historia de muchos malentendidos entre amigos.

EL LADO ALEGRE
DE LAS COSAS

Ser vulnerable no es ser débil. Al contrario, sólo una persona firme y madura puede permitirse conocer su propia vulnerabilidad, aceptarla y dejar que se sepa. La persona débil oculta su debilidad, evita los ataques y erige defensas para protegerse y poder huir. Una armadura pesada siempre esconde un carácter débil.

¿Qué tal me cae ser objeto de una broma? ¿Me siento amenazado, molesto, humillado? ¿Me sonrío fingidamente para ocultar una vergüenza que no quiero aparezca, porque delataría mi fastidio, y no debería estar fastidiado? ¿Corto bruscamente las risas con el ceño fruncido, digo que la broma es de mal gusto y cambio a la fuerza la conversación? ¿O disfruto de veras con el golpe, me río con ganas de mí mismo, me uno al regocijo general y felicito al bromista? Si no me pueden rozar ni con la suave caricia de una broma inocente sin que yo salte y me enfade, será hora de examinar por qué soy tan hipersensible, tan suspicaz y tan inseguro. Excesiva protección por fuera es señal de excesiva debilidad por dentro.

Durante mis estudios de matemáticas tuve ocasión de observar a profesores de todo tipo. El mejor de todos ellos era un verdadero sabio en la materia, lo sabía todo y lo entendía todo, era genial en sus demostraciones y encantador en sus constantes equivocaciones al hacer los cálculos más sencillos. Recibía de buena gana cualquier sugerencia, cambiaba la prueba de un teorema a mitad de camino, a la menor indicación de cualquier estudiante, y no se recataba de pedir ayuda cuando se atascaba en un problema difícil, o de admitir que se había equivocado y que ya daría la solución correcta al día siguiente. Sabía la asignatura y mucho más que la asignatura, y sabía que sabía, y sabía que nosotros sabíamos que sabía, y eso le permitía mostrar su ignorancia llegado el caso, en vez de tratar de disimular un error con falsos pretextos. Era abiertamente vulnerable, y lo era precisamente porque estaba seguro de sí mismo.

En cambio, a mitad del primer curso llegó un profesor nuevo y se estrenó con nosotros. Era joven, inseguro, nos tenía miedo y no dominaba la asignatura. No permitió preguntas en clase, prohibió toda interrupción, y salía corriendo en cuanto tocaba la campana a fin de clase, para evitar que lo paráramos y le hiciéramos preguntas en el pasillo. Conocía su debilidad y la protegía con una muralla fortificada por los cuatro costados. No podía permitirse el lujo de abrirse a preguntas o sugerencias en clase, porque, no sin razón, temía no tener respuesta. Nunca llegó a ser popular. Su escape favorito era decir: «Venga usted el año que viene, y se lo explicaré», queriendo decir que éramos principiantes y aún teníamos que aprender mucho y volver el curso siguiente si queríamos ponernos a la altura de sus doctas explicaciones. La realidad era bien distinta. Sabíamos que era un farol, y nos sonreíamos unos a otros cuando lo decía. Al cabo de algún tiempo dejamos de intentar hacerle preguntas o pedirle explicaciones. No servía para nada, y no íbamos a perder el tiempo. Sencillamente, prescindimos de él. El curso siguiente, la dirección de la universidad también prescindió de él.

El profesor que dice «¡No me interrumpan!», «¡Vaya una pregunta estúpida!», «No contesto, porque no entenderíais la respuesta», «Si hubieras prestado atención antes, no preguntarías eso ahora», y otras excusas semejantes, no hace más que proclamar a los cuatro vientos que no está dispuesto a que le hagan preguntas ni, lo que es más serio, a admitir el hecho de que no está preparado para que le hagan preguntas. Dominar o no la asignatura es cuestión puramente académica que ha de ser considerada por las autoridades de la institución; pero negarse a admitir los propios puntos flacos y tratar de disimularlos es cuestión mucho más importante que afecta a la persona y, por consiguiente, a la enseñanza de una manera mucho más fundamental. El profesor puede enseñar matemáticas correctamente con seguir un buen texto y preparar bien la clase; pero, si es presa de un complejo de evasión, debido a inseguridad personal, su enseñanza puede causarles daño a los estudiantes, que aprenderán subliminalmente la actitud equivocada de cerrarse ante los demás en vez de abrirse con valor y admitir con sencillez las dificultades que haya. Un profesor vulnerable es un profesor amable, y puede enseñar más con su ignorancia que con su erudición. Que los alumnos aprendan que pueden aceptar errores sin avergonzarse, fallos sin apurarse e ignorancia sin desesperarse. Que aprendan de sus maestros, no como lección en el programa, sino como ejemplo en la vida real; que pueden ganar más con manifestar sus limitaciones que con esconderlas. Que se fijen en sus propios sentimientos cuando saludan por dentro con respeto al profesor abierto que se deja atacar. Que caigan en la cuenta de que una casa abierta es lugar más apacible que una fortaleza amurallada. Lecciones de la escuela para la vida en el mundo.

El caso del profesor es sólo un ejemplo. Todos tenemos nuestras maneras de decir «¡No hagas esas preguntas!», «No me molestes», «No te acerques»; y el efecto es el mismo que el de las defensas del profesor. La gente ve la armadura y guarda distancia. Nos retraemos en sociedad, porque no nos sabemos la asignatura. No estamos seguros de qué queremos hacer con nuestras vidas y, desde luego, no lo estamos haciendo. Pero, una vez que constatamos esa timidez, encontramos también la salida. No necesitamos dominar la asignatura para, de algún modo, hablar de ella. De hecho, una buena manera de iniciar una conversación es admitir que no tenemos todas las respuestas. Eso tranquilizará a los que nos rodean e interrogan, porque ellos están tan perdidos como nosotros en eso de las respuestas, y una vez que hay sinceridad por ambas partes, queda establecido el contacto. La confesión de vulnerabilidad nos abre a relaciones amistosas con otras personas, ya que ellas son tan vulnerables como nosotros. En la debilidad se esconde la fuerza, y éste es principio de salvación en todos los órdenes.

Ser vulnerable quiere decir confesar sentimientos, admitir que no somos indiferentes a la alabanza o al desprecio, a la comodidad o a la molestia, al éxito o al fracaso; quiere decir revelar el mal humor así como el bueno, y saberse y declarase víctimas de la envidia y el enfado y el desánimo y la ansiedad. Ser vulnerable quiere decir reconocer que no siempre nos sentimos felices, no siempre estamos de buen talante, no siempre nos dominamos, no siempre estamos seguros de lo que hacemos y por qué lo hacemos. Ser vulnerable quiere decir ser humano.

Quizá el mejor regalo que podemos hacerle a una persona es descubrirle nuestra vulnerabilidad. Es gesto de coraje y confianza, es nuestra entrega personal a quien queremos acercar a nuestra amistad. Solemos rogar a nuestros invitados, como parte de la etiqueta de un buen anfitrión, que se pongan cómodos, que se sientan como en su casa, que estén a su gusto, que es el nuestro, y todo eso puede facilitarles una estancia agradable en nuestra casa. Pero, al fin y al cabo, eso sólo son palabras, y a veces tienen precisamente el efecto contrario y les hacen ponerse a los invitados más tiesos y serios de lo que estaban. Una manera más eficaz de fomentar el ambiente informal, con atención siempre a las circunstancias, al decoro y al interés que tengamos en lograr intimidad con la persona en cuestión, es mostrarle con tacto y humor nuestros puntos flacos, contarle alguna reciente metedura de pata nuestra, compartir una duda o admitir un fallo. La puerta se abre, y quien de veras lo desee puede entrar por ella.

Parte del atractivo de los cuentos del Mul-lá Naserudín viene del hecho de que él aparece como un pobre ignorante que anda a tropezones por la vida, haciendo reír a los que contemplan sus payasadas y dejando siempre un rastro de sabiduría escondida que da luz y ánimo sin ser gravosa en modo alguno. En su bien documentada introducción a una colección de 461 cuentos originales de Naserudín, José Luis Vivas Bailo escribe:

> «En 1124 es Al Maydani, otro escritor oriental, quien nos deja más datos sobre Yehá (el título de Naserudín es Yehá, Hodja o Mul-lá, según de donde proceda la historia): pertenecía a la tribu de los Banu Fazara y se llamaba Abu-l-Gusn. Lo más importante para nosotros, aparte de estos datos de interés para curiosos, es que recoge una expresión que aún hoy es moneda corriente en casi todas las zonas de cultura arabo-islámica: 'Ahmaq min Yuha', es decir, 'Más tonto que Yehá'; esto equivale a nuestra expresión 'más tonto que un saco de habas' o cualquiera similar, y es no sólo entendida, sino muy utilizada en las hablas populares árabes, que, a semejanza de las españolas y entre ellas la andaluza, recurre frecuentemente a frases hechas, refranes y comparaciones tópicas» (*Cuentos de Yehá*, Tomás García Figueras, Padilla, Sevilla 1989, p. 5).

Lo llama «antihéroe», porque con su ingenuidad, su pereza y su cobardía de nacimiento sale bien de todos los embrollos y deshace las maquinaciones de los poderosos con la sencillez de sus tonterías. Así es que ser «más tonto que Yehá» es la paradoja de conseguir esa sabiduría práctica que nos ayuda a ir por la vida con el corazón alegre y la sonrisa en los labios. Ésa era la gran cualidad de Naserudín.

Uno de los primeros cuentos de la infancia de Naserudín es el siguiente. Cuando era pequeño, su madre tuvo que ir a una boda un día, y dejó al niño solo en casa con un encargo bien claro: «Guarda bien la puerta de casa mientras yo estoy fuera». El niño se sentó en el portal a vigilar la puerta bien de cerca, y su madre se fue a la boda. Al cabo de un rato, el tío de Naserudín llegó desde su pueblo, y cuando Naserudín le informó que su madre no estaba en casa, su tío se fue después de dejarle este encargo: «Dile a tu madre que he venido del pueblo y que esta noche me hospedaré en vuestra casa». Cuando el tío se marchó, se levantó el niño, sacó la puerta de sus goznes, se la cargó sobre las espaldas y, con la puerta a cuestas, se fue al sitio de la boda a informarle a su madre de la venida del tío. Su madre se sorprendió al verlo cargado con la puerta, pero el chico explicó: «Me dijiste que cuidara de la puerta, y el tío me dijo que te anunciara su llegada; y la única manera de obedeceros a los dos era hacer lo que he hecho». La madre volvió corriendo a casa y se encontró con que los ladrones habían desvalijado a placer la casa sin puerta. Se lamentó de su desgracia, y el tío, cuando llegó por la noche, se unió a sus lamentaciones. Nadie se fijó en que, mientras tanto, el muchacho había logrado lo que quería: escaparse del deber de custodiar la casa y asistir a la boda. Y a nosotros nos queda la lección de no tomar las cosas —nunca y en nada— muy al pie de la letra.

Ahora uno de los últimos cuentos sobre la muerte de Naserudín. Se había ido andando a un pueblo lejano, y allí le dieron la noticia de su propia muerte. Algo se sorprendió, ya que él se sentía vivo; pero, como todos en aquel pueblo hablaban de lo mismo, acabó por creérselo y se tumbó en el suelo como muerto. La gente se agrupó a su alrededor, y él les dijo: «Estoy muerto, así que, por favor, id a mi pueblo e informadle a mi mujer para que prepare mi funeral». Luego añadió: «Si se lo decís vosotros, no os creerá, porque esta misma mañana me ha visto bien sano y fuerte. Mejor es que vaya yo mismo a darle la noticia de mi muerte; a mí me creerá». La gente le contestó: «En eso tienes razón, pero tú ya estás muerto, así que ¿cómo vas a llegar a tu pueblo?» El Mul-lá reflexionó y al fin encontró la solución: «Es verdad que estoy muerto y no puedo andar, pero vosotros podéis llevarme». Eso era justo. Lo pusieron en una camilla y lo llevaron hasta su casa. Una vez allí, él mismo le dio a su mujer la noticia de su propia muerte, con lo cual la mujer se echó a llorar y a darse golpes en el pecho según la costumbre, y rogó a todos que se marcharan y la dejaran sola con su dolor. Cuando quedaron los dos solos, ella le dijo a su difunto marido, que aún seguía tumbado en la camilla: «Conseguiste lo que querías, ¿no es eso? Te han traído gratis a casa». Al menos había alguien que entendía a Naserudín. Cuerda locura que consigue favores y puede incluso reírse del pensamiento de su propia muerte.

A LOMOS DE BORRICO

Al Mul-lá Naserudín se le representa tradicionalmente montado al revés en un burro. El burro es, desde luego, la cabalgadura del pobre, el compañero de las almas sencillas en sus trabajos y alegrías. El cabalgar al revés sobre el burro, mirando a la cola, da un cuadro divertido y hace pensar sobre el sentido que pueda tener tal excentricidad. Sólo el mismo Naserudín podía dar la respuesta auténtica, y de hecho dio varias, como para indicar que sus acciones, por torpes que pudieran parecer, eran demasiado profundas para poder agotar su sentido con una sola explicación. Una vez dijo que su burro era zurdo, y por deferencia a él se montaba por el otro lado, y así acababa mirando hacia atrás. En otra ocasión, cuando sus discípulos lo seguían por detrás en grupo, les explicó desde su trono al revés que aquella era la mejor manera de montar, ya que sólo así podía hacer justicia a su posición y a la consideración por los demás: su posición de maestro lo obligaba a caminar por delante de sus discípulos, mientras que su consideración hacia ellos no le permitía darles la espalda, y él había encontrado la solución perfecta al problema, como siempre lo hacía. Aún dio una tercera explicación, pero es un poco de mal gusto para publicarla aquí. En todo caso, su respuesta definitiva es la que se basa en el rasgo específico del carácter del burro tal como lo entendemos o lo imaginamos los humanos. El burro hace siempre lo opuesto de lo que le mandan, y por eso Naserudín explicó que al sentarse mirando hacia atrás le hacía creer al burro que quería ir en esa dirección, y eso bastaba para que el burro arrancara en dirección opuesta, es decir, hacia adelante, como de hecho el jinete quería ir. Está visto que no le faltaba inventiva al maestro para explicar su gesto estrafalario.

Cuando nosotros los humanos les atribuimos ciertos rasgos de conducta a los animales, no hacemos más que proyectar sobre ellos nuestras propias peculiaridades. Si decimos que los burros son tozudos y tercos, no hacemos más que reconocer y proclamar que nosotros mismos somos tozudos y tercos más que nadie y con una contumacia que sobrepasa la imaginación. Parece que nos encanta hacer lo contrario de lo que nos dicen o nos piden o esperan de nosotros, y nos aferramos a nuestra postura sin importarnos si está justificada o no, en contra de la opinión pública y el consejo privado, y sin fin previsible de nuestro cerrado empecinamiento. Los burros no nos resultarían tan cercanos en carácter y parentesco si no hubiéramos reconocido en ellos algunas de nuestras más preciadas cualidades.

En el juego de amor y odio que ocupa todas nuestras vidas, todos tenemos períodos de terquedad en que se nos nubla el juicio, se embotan los sentidos, se suspende la razón y nos aferramos sin justificación alguna a una actitud, creencia o postura que puede poner en peligro la mejor amistad, y defendemos equivocadamente nuestro orgullo y mal entendida dignidad a expensas de relaciones bien cercanas. Se excitan sentimientos, se afilan las palabras, se evitan miradas, se aumentan distancias y se marca con señales externas la separación de quienes deberían vivir en cercanía física y afectiva. Largos silencios, monosílabos aislados, entrecejos fruncidos, contactos mínimos (yo le llamo a eso «servicios mínimos», como en las huelgas) y ausencias prolongadas. Nada de ceder, de hacer las paces, de tomar la iniciativa para restablecer las relaciones diplomáticas. Pueden pasar las horas y los días sin que se subsane la desavenencia temporal, y se alarga penosa e inútilmente el sufrimiento de dos personas que se quieren, pero que por el momento no obran en consecuencia.

Tales períodos de mutuo enfado pueden causar mucho daño, porque durante la separación afectiva la mente se excita, el resentimiento aumenta, los recuerdos desagradables se exageran, y fantasías agresivas surgen con facilidad, lo que hace que la imagen de la otra persona quede gravemente deformada, los rasgos molestos se acentúen y la reconciliación se haga cada vez más difícil. Cuando amamos a una persona, la vemos siempre favorecida, destacamos sus cualidades positivas y reducimos las negativas, y esta percepción retocada nos ayuda luego a intensificar nuestros sentimientos y apretar los vínculos mutuos. Y al contrario, cuando nos vemos distanciados de la misma persona, cambia la luz a la que vemos su imagen, desaparecen sus cualidades positivas y salen a relucir las negativas, con lo que se desfigura la imagen y se entorpece el contacto. Estos cambios en la imagen tienen luego su influencia en nuestra conducta para con la persona, ya que la imagen rige la reacción. Por eso es importante vigilar nuestra mente en sus caprichos artísticos como pintora de imágenes.

La «Sinfonía Fantástica» de Héctor Berlioz es un bello ejemplo en música de lo que un cambio de sentimientos puede hacerle a una imagen, en este caso una imagen musical. El motivo musical que aparece a lo largo de los cinco movimientos de la sinfonía es «el tema de la amada», que describe en ritmo y sonido la perfecta figura y el amable carácter de la más bella de las mujeres vistos y cantados por el más enloquecido de los hombres. Cuando el tema aparece por primera vez, con la inocencia y el encanto de un primer amor, es una melodía suave y penetrante de líneas clásicas y acentos eternos. Cada nota sigue a la anterior en una cascada creciente de sonidos transparentes que graban en el alma con la perfección de su sonido la imagen incomparable de la amada ideal. Pero ese amor no es correspondido, se torna en odio al verse rechazado, y con él la música se vuelve disonancia, y la sinfonía se hace un tormento. El motivo musical vuelve a aparecer, pero ahora está torturado, torcido, roto, y las mismas notas que antes cantaban la belleza, ahora expresan la inquietud, la desesperación y la agonía. Pero aún hay algo peor. En su desconsuelo, el artista sueña que ha asesinado a su amada, es acusado, condenado, llevado al patíbulo y ejecutado entre los lamentos de la orquesta en acordes fúnebres. Su alma baja al infierno para una cita de aquelarre en todo su horror indescriptible. Allí, en medio de los gritos de las brujas y las maldiciones de los demonios, y bajo el triste acompañamiento de una parodia casi blasfema del *Dies Irae,* el «tema de la amada» aparece de nuevo, pero esta vez tan cortado, tan desafinado, tan magullado en forma y en sonido que sólo trae angustia a los oídos y aflicción al alma, en un torbellino loco de notas rotas. Cuando otro gran compositor, Félix Mendelssohn Bartholdy, oyó por primera vez la sinfonía, la declaró «absolutamente odiosa e indeciblemente cruel», y confesó que después de oírla no había podido trabajar los dos días siguientes. Tan fuerte es el efecto que produce el contraste desnudo de un intenso motivo musical al ser cantado primero con amor y después con odio. El motivo es el mismo, como también lo son el amante y la amada, pero algo ha cambiado en el corazón de ambos, y ese cambio queda expresado en la melodía inmisericorde que rasga el alma con el poder brutal de su inhumana discordancia.

La belleza puede cambiarse en fealdad cuando el amor se vuelve odio, y ese cambio lo precipitan los malentendidos, la distancia y el silencio. La ironía de la historia es que, cuando Berlioz escribió la sinfonía y explicó su significado, todavía no había hablado con el objeto de su amor, que era la actriz irlandesa Harriet Smithson. Todo había sido un sueño en la ardiente imaginación del artista, como de hecho son muchas riñas y disputas. Cuando se pierde el contacto, o cuando no ha habido un buen contacto desde el principio, el pensamiento se extravía y levanta fantasías absurdas que se empujan unas a otras, en una espiral extravagante de rencor creciente y rechazo final. El aislamiento culpable lleva al sufrimiento, tanto en la música como en la vida.

En la India se sigue observando la costumbre de que la novia, que al casarse ha ido a vivir con su marido a casa de los padres de éste, vuelva a casa de sus padres cuando va a dar a luz por vez primera y pase con ellos una temporada antes de volver con el recién nacido a casa de su marido. De ordinario, todo esto se hace con la mayor naturalidad, y es el mismo marido quien, fijado el día de común acuerdo, va a buscarla a casa de sus padres y vuelve con ella a la suya. Ése es el procedimiento normal. Pero a veces surgen obstáculos. Puede haber algún malentendido, fricción, conflicto en cualquier momento de esos días delicados, y la mujer, el marido o ambos pueden sentirse enfadados, alejados, rechazados, aunque no haya verdadero motivo para ello. Si esos sentimientos son alentados por pensamientos y fantasías ajenos a la realidad, pero a los que la distancia de las dos casas y familias separadas da aliento y presta vuelos, el resultado puede ser que la mujer se niegue a volver a casa de su marido. Entonces los amigos y parientes de cada uno se alinean en los dos frentes de batalla, y la riña privada se hace conflicto público. Las dos familias declaran que es cuestión de honor, y el mismo argumento se oye por ambas partes. El marido dice: «Ella se fue por su cuenta, y puede volver por su cuenta cuando lo desee, pero yo no voy a ir a buscarla o llamarla». La mujer devuelve el eco: «A él le toca venir a buscarme, y si lo hace yo volveré bien a gusto con él; pero por mi cuenta no voy». Punto muerto. Puedes volver cuando quieras, pero yo no voy a buscarte. Puedes venir a buscarme cuando quieras, pero yo no voy por mi cuenta. Para entonces, los dos están ya deseando acabar con tanta tontería y volver a reunirse otra vez y vivir en paz; pero ninguno de los dos dará el primer paso. Conflicto serio en sociedad tradicional. Cuánto durará la separación, es materia de pura conjetura, como lo es de incesante cotilleo en el contorno social de ambas familias.

En tales ocasiones, yo me he tomado a veces la libertad de sugerir un simple procedimiento para restablecer el contacto. Les pido que traigan un mapa y marquen en él con claridad el emplazamiento de las dos casas. Después, con ayuda de una construcción geométrica, se halla el punto medio del segmento que une los dos sitios, se consulta, como es inevitable, al astrólogo para escoger el momento de buen agüero, y en ese instante y lugar deben aparecer simultáneamente el marido y la mujer viniendo de direcciones opuestas, y se efectúa la reunión a satisfacción de todos. Nadie pierde y nadie gana. Lo que quiere decir que todos ganan, y la situación insostenible que una tozudez irreconciliable había creado termina felizmente. Es una pena que el método no haya encontrado mucha aceptación, y la gente terca continúe creando problemas para sí mismos y para todos los que quieren su bien. La geometría no parece resultar en la vida práctica. La línea recta nunca es la distancia más corta entre dos puntos.

El Mul-lá Naserudín le daba de comer al burro todos los días, pero un día le dio pereza y le dijo a su mujer: «Ve a darle de comer al burro». A la mujer no le sentó bien la orden, y se pusieron a discutir quién debería hacerlo. No se pusieron de acuerdo, y al fin Naserudín dijo: «Hagamos una apuesta: vamos a guardar silencio los dos, y el primero que hable, le da de comer al burro». La mujer asintió con la cabeza, y ambos cerraron la boca dispuestos a no abrirla por nada.

Naserudín se sentó en un rincón del cuarto, cerrado en su silencio absoluto. Su mujer se aburrió pronto y se fue a casa del vecino, donde permaneció hasta el anochecer. Les dijo a los vecinos lo que había pasado, y añadió: «Él es tan tozudo que antes se morirá de hambre que ceder ante mí. Vamos a enviarle una sopa caliente, porque ya tendrá hambre para estas horas». Le dieron una cazuela con sopa hirviendo al chico de la casa para que se la llevase a Naserudín.

Mientras tanto, un ladrón había entrado en la casa de Naserudín y había empezado a cargar con todo lo que encontraba. Cuando vio a Naserudín sentado en un rincón sin moverse, se creyó que estaba paralítico, y le cogió incluso el gorro que el Mul-lá llevaba puesto, pero éste no se movió ni dijo una palabra.

En el mismo sitio y postura estaba cuando llegó el muchacho con la sopa. El chico dijo: «Le traigo esta sopa de casa de sus vecinos». El Mul-lá trató de hacerle entender por señas lo que había pasado, cómo había venido un ladrón y había llevado todo lo que había en la casa, incluso su propio gorro. Para expresar la pérdida del gorro y del turbante que se ceñía alrededor del gorro, señaló a su propia cabeza dando varias vueltas con el dedo. El muchacho entendió que quería que le echase la sopa por la cabeza, y así lo hizo sin fijarse en la temperatura del líquido. Naserudín recibió la espesa lluvia ardiente sobre la cabeza, pero ni se movió ni dijo una palabra. Su cara y su barba habían quedado en estado lamentable, y el muchacho, al verlo, volvió corriendo a su casa a contar todo lo que había visto y entendido, el robo, el baño de sopa y el silencio del Mul-lá.

Al oír el informe, su mujer cayó en la cuenta de todo lo sucedido y fue enseguida a casa. Allí se encontró a su marido exactamente en el mismo sitio en que lo había dejado, sin moverse; y llorando y riendo al mismo tiempo, le dijo toda excitada: «¿Se puede saber qué quiere decir todo esto?» El Mul-lá contestó: «Ve a darle de comer al burro. Y no vuelvas a ser tan terca».

Moraleja: el burro no se queda sin comer.

UNA CAMA PARA CUATRO

Un nuevo intento de desenmarañar fibras entrecruzadas en el corazón humano. Ya quedó dicho que, al tener muchos aspectos en nuestra compleja personalidad, necesitamos también amigos distintos para que entre todos cubran todo el terreno. Esto no es un inconveniente, sino una ventaja, ya que amplía nuestro círculo afectivo y acalla el sentido de inseguridad que nos embarga si dependemos de una sola persona para nuestro bienestar emocional. Antes de sacar las consecuencias de este importante hecho, refuerzo la idea con una clara cita de una escritora, Lillian B. Rubin, en su libro *Just Friends* (Harper & Row, New York 1986, p. 56):

> «A lo largo de nuestra vida tenemos amigos y amigotes, viejos amigos y nuevos amigos, grandes amigos e íntimos amigos —y cada uno de ellos sale al encuentro de alguna parte de nuestro ser que está clamando que se le reconozca. Un amigo estimula nuestra capacidad intelectual más que otros, mientras que otro conecta más rápidamente con nuestro fondo emotivo. Uno despierta nuestros instintos tiernos y cariñosos, que nos llevan a cuidar de los demás, y otro nos permite dejarnos cuidar por él. Un amigo anima la broma y el juego, otro la seriedad. Un amigo es la hermana que siempre deseamos, otro la madre que nunca tuvimos. La profundidad de una amistad —lo que para nosotros significa el ser ''amigos'' o ''amigos íntimos''— depende, al menos en parte, del

número de aspectos nuestros que ese amigo ve, comparte y revalida. Porque lo que el amigo ve y nos refleja de vuelta a nosotros es importante para afirmar y realzar todos esos aspectos y para integrarlos en la totalidad que forma nuestro ser. Hablando del abanico de posibles amistades, una mujer de cincuenta y tres años dio cuerpo a la fantasía del amigo sin par con el cual todo lo que somos puede ser compartido: "El amigo ideal que corona el abanico sería el amigo que conozca y pueda valorar todas las partes de tu ser. Supongamos, por hablar de alguna manera, que tu personalidad tiene diez partes. Con la mayor parte de la gente, tú funcionas con una o dos de ellas. A veces tienes suerte y compartes algo más. Y una o dos veces quizá en toda la vida, con verdadera suerte, encuentras a alguien con quien puedes compartir las diez partes. Entonces lo único que te queda es esperar a que, según esos aspectos van cambiando en ti, se vayan ajustando también a los de la otra persona. O, si tienes todavía más suerte, que ambos vayáis cambiando y creciendo en la misma dirección. Eso es pedir mucho, quizá demasiado, ¿no es así?"».

Bellas palabras que levantan el espíritu momentáneamente al sueño de un paraíso en la tierra y nos animan en la búsqueda del amigo fiel. Y serias palabras que nos hacen reflexionar, ya que el camino es largo, y vamos a encontrar y necesitar muchos compañeros de viaje, y así haremos bien en considerar de antemano la situación y medir distancias y prever fricciones que no dejarán de aparecer, según avancemos por amplios prados y estrechos desfiladeros en la atrevida peregrinación que es la vida sobre la tierra. La inevitable paradoja es que necesitamos más de un amigo para evitar la ansiedad de tener sólo un soporte en nuestra vida, y que el mero hecho de tener más de un amigo ha de crear conflictos entre ellos y, en consecuencia, ansiedad otra vez en nuestro corazón. Aquí vuelve a tomar cuerpo la polaridad amor-odio con toda su urgencia imperativa. Gran oportunidad para conocernos mejor y avanzar en la vida.

Una de las situaciones más violentas de mi vida, que de puro ridícula resultó cómica, al menos para mí, tuvo lugar cuando dos religiosas, ambas buenas amigas mías, vinieron a verme una vez al mismo tiempo y en el mismo sitio. Ambas vivían fuera de mi ciudad, habían venido para un día de compras en los grandes supermercados y, una vez acabadas las compras, ambas habían tenido la atención de sacar algo de tiempo para una breve visita a mi residencia antes de volverse a sus respectivos pueblos. Así fue como coincidieron, casi simultáneamente y sin saberlo, en la pequeña y discreta sala de visitas diseñada con austeridad monástica por un arquitecto poco amante de visitas. Allí nos sentamos los tres en tres escuetas sillas, y yo tuve buen cuidado desde el principio de colocar mi silla a distancia rigurosamente equidistante de las dos que ellas ocupaban; ya que sé que los gestos tienen importancia, y deseaba mantener el equilibrio con la ecuación de los buenos modales. Había tenido yo un negro presentimiento cuando las dos visitas se anunciaron, y estaba decidido a hacer todo lo posible por evitar que la reunión acabase en desastre. ¡Buena la tenía! Antes hubiera resuelto la cuadratura del círculo. Desde el primer saludo, caí en la cuenta de que lo que más necesitaba yo en aquel momento era un cronómetro. Tenía que medir con exactitud de microsegundos el tiempo en que me dirigía a cada una de ellas, ya que cualquier prórroga, real o imaginaria, en el tiempo dedicado a una se dejaba ver inmediatamente como una afrenta personal en el ceño de la otra. Mientras hablaba a una, la otra se tensaba en su silla y reclamaba con fuego en los ojos su turno inmediato. Y cuando me volvía a la segunda, la primera se replegaba como si se dispusiera a saltar en cuanto le volviera a llegar su vez. Si el salto iba a ser sobre mí o sobre su compañera, no se veía claro; pero, de todos modos, convenía evitarlo a ser posible. Traté entonces de hablar mirando a un punto fijo en la pared a mitad de camino entre las dos, y tocando sólo temas neutrales que se refirieran a las dos o a ninguna, pero entonces las dos se quedaron igualmente rígidas. Incluso se me ocurrió mirar a una y hablarle a la otra, y viceversa, en un esfuerzo zigzagueante por mantener el contacto con las dos al mismo tiempo sin ofender a ninguna, pero se armaron un lío con la maniobra, y yo también, y empecé a confundir las alusiones y equivocar las sonrisas. No había manera. Ellas no hablaban más allá de monosílabos. Pronto supe que había de terminar la entrevista a la primera oportunidad, y también comprendí que tenía que arreglármelas para que las dos se marcharan al mismo tiempo, porque, si una se iba y me dejaba a merced de la ira de la otra, mi innata caballerosidad se vería puesta a prueba con excesiva severidad, cosa que yo estaba decidido a evitar por encima de todo. En esto cooperaron de buena gana, ya que ninguna de las dos estaba dispuesta a dejarme a solas con la otra, ni siquiera por un instante; y, de hecho, en cuanto una miró su reloj, la otra consultó también el suyo, y ambas se levantaron al unísono con gran alivio mío. Las fui a despedir hasta la verja, pero no me quedé a ver lo que sucedía en el camino. Por fortuna, tenían que tomar trenes distintos.

No estoy en posición de decir si las mujeres son más celosas que los hombres, y probablemente no será así (los hombres podemos ser increíblemente mezquinos y rabiosamente celosos), pero en mi larga experiencia de acendrada amistad nunca me he encontrado en una situación semejante con amigos hombres. Con frecuencia los veo en grupos de dos o más, y la presencia común realza la comunicación y multiplica la alegría. Eso no quiere decir que nunca haya sentido celos con ellos. Eso ha sucedido especialmente al comienzo de una nueva amistad. Cuando un hombre comienza a ser para mí alguien especial, cuando brotes nuevos aparecen en la primavera del alma, que nada sabe de edades, cuando la creciente intimidad se adivina en la feliz espera que acorta el día y alarga la esperanza, cuando un rostro nuevo entra en mi álbum personal, cuando un hombre nuevo adquiere música y un nuevo cumpleaños es recordado con alegría, entonces, si veo a ese hombre hablar animadamente con otro amigo suyo, siento el roer de los celos dentro del alma. Sé que es la inseguridad, por irracional que sea, la que me hace temblar secretamente en los delicados tejidos de mi frágil confianza. ¿Estoy seguro de él? ¿Puedo fiarme de su amistad? ¿Qué supongo yo para él? ¿No tiene él amigos más jóvenes que yo que le suponen mucho más de lo que yo puedo nunca esperar suponerle? ¿Es sólo su amabilidad y su buen corazón lo que le impulsa a pasar ratos conmigo, o hay un verdadero sentimiento hacia mí en su corazón, como lo hay para con él en el mío? ¿Cómo puedo saberlo? Sí, sí que lo sé, porque los sentimientos tienen rostro, y el afecto habla, y la amistad se manifiesta sin necesidad de documentos; pero soy tan posesivo y tan débil al mismo tiempo que quiero asegurarme de que no voy a perder lo que ya me está siendo tan valioso.

Ése es el lado luminoso de un sentir oscuro, la mezcla, una vez más, en la perpetua adivinanza de sentimientos encontrados. Los celos, de manera tortuosa pero genuina, son un cumplido a mi amigo, una prueba de que aprecio y atesoro su amistad, y un mensaje a mí mismo para recordarme que he de hacer todo lo posible para no perder lo que es tan valioso para mí. Si estas dudas y certezas, por confusas y humillantes que sean, se manifiestan al amigo en abierta confianza, pueden de hecho consolidar la amistad y reparar las brechas que pudieran existir.

Una vez vi a un amigo íntimo saludar muy efusivamente a otro amigo suyo a quien veía después de una corta ausencia, y algo se quebró dentro de mí. Él nunca me ha recibido a mí tan efusivamente ni ha armado tanto lío cuando nos hemos vuelto a ver, aun después de largas ausencias. ¿Qué significa eso para mí? Lo he visto con mis propios ojos. Es evidente que sólo estoy a mitad de camino en su lista privada, y mis pretensiones de ocupar un lugar especial eran pura ilusión. Es extraño el decirlo y humillante el reconocerlo, pero una escena tan inocente y sencilla puede minar la amistad más fuerte en el tiempo más corto. Afortunadamente para mí y para mi amistad, ya para entonces habíamos establecido los dos amigos, de común acuerdo, un fielato mutuo para ventilar sentimientos, y estábamos comprometidos a revelarnos el uno al otro reacciones personales que nos afectasen a los dos, y en particular todo aquello que pudiera poner en peligro nuestra amistad. Así que yo busqué la ocasión, me armé de valor y le dije a mi amigo lo que había visto y oído y cómo lo había interpretado yo. Él se echó a reír de buena gana, y su risa espontánea y sonora me tranquilizó más que un juramento solemne de lealtad eterna. Ni siquiera se preocupó de defender su actuación o explicar lo sucedido. Pero dijo algo muy bello. «Tú espera, Carlos», dijo mirándome fijamente, «deja que pasen los años y que hable el tiempo, y que los dos nos hagamos viejos y nos miremos el uno al otro, y ya me dirás entonces qué es lo que tú has supuesto para mí en mi vida, como yo sé qué he supuesto para ti en la tuya».

Tenía toda la razón, y con esas palabras, así como con la continuación de su infalible e insuperable amistad, me había descubierto la cura secreta de los celos tempranos. Que pase el tiempo. Que hablen los años. Que madure el afecto y se asiente el carácter y aumenten los recuerdos comunes y los sufrimientos sabidos y las alegrías compartidas, y entonces florecerá la amistad con la savia irresistible de la juventud y la edad y la experiencia y la fe, y miedos antiguos quedarán conquistados por la historia común en vida compartida. La confianza mutua en la amistad es el fruto de la larga perseverancia afectiva.

Cercana a los celos en el juego de luz y sombras de las relaciones humanas, está la tan lamentable como inevitable práctica de comparar unos amigos con otros y perdernos las buenas cualidades de unos por mirar a las reales o imaginadas virtudes superiores de otros. Ha quedado establecido que hemos de vivir y movernos en medio de una variedad de amigos, y esta situación puede fácilmente llevarnos a evaluarlos en juicio comparativo, con el peligro de crear en nosotros mismos y entre nosotros y ellos tensiones que bien se podían haber evitado si hubiéramos dejado a un lado medidas y comparaciones desde un principio. La teoría era fácil cuando yo escribía que los distintos amigos responden a distintos aspectos en nuestra personalidad, y entre todos ellos cubren todo el terreno. Pero esos aspectos no están claramente determinados y separados, como tampoco lo están nuestros diversos amigos y sus zonas de influencia. No se trata de una figura geométrica con polígonos regulares encajando en las medidas exactas como en una construcción con regla y compás. Los diferentes aspectos de nuestra personalidad se entrecruzan unos con otros, lo mismo que los caracteres de nuestros amigos, y no podemos colocar a diez amigos ante diez aspectos y decirles que cada uno se encargue de su parcela sin meterse para nada en las demás. No es así como van las cosas. Los muchos amigos continúan en feliz libertad, y sus múltiples jurisdicciones en su relación con nosotros se mezclan y combinan y enriquecen nuestra vida, al tiempo que la complican. Aquí viene la delicada y grata tarea de valorar a cada amigo plenamente por todo lo que es en sí, dándoles a todos el puesto de honor que les corresponde en nuestra vida, y dándonos nosotros a ellos sin reservas y sin fronteras. La división de nuestra personalidad en porciones para que las cuidaran nuestros vecinos en uso exclusivo era sólo una parábola para aclarar el tema. En realidad, nos debemos del todo a cada uno de nuestros amigos, como ellos se deben a nosotros, y el entregarnos a cada uno en plenitud, subrayando en cada caso la contribución especial y única de esa amistad a nuestra vida, es la esencia, a un tiempo cercana y lejana, de lo mejor que la amistad humana puede ofrecernos en este mundo.

Otro efecto desastroso de la tendencia a comparar personas es el que resulta, no ya de comparar a nuestros amigos entre sí, sino de comparar a nuestros amigos con los amigos de otras personas, o, en personas casadas, sus parejas con las parejas de otros. Sí, tengo un magnífico marido o mujer o amigo, pero mira al marido o mujer o amigo que tiene ese otro suertudo; ¿no son mucho más inteligentes y elegantes y deslumbrantes que nadie que yo tenga a mi alrededor? No es extraño que en reuniones de sociedad yo tenga que conformarme con la última fila, ya que mis acompañantes no pueden compararse con los de otros. ¿Por qué no he de poder yo atraer a mi círculo los distinguidos caracteres que otros parecen conseguir tan fácilmente?

Ésa sería una manera fatal de tratar las relaciones humanas. Es obvio que hay gente más inteligente o guapa o atractiva que otra, pero lo que cuenta en una relación no es el valor de mercado de una persona (con perdón por el término comercial), sino el vínculo personal. Desde luego que mis amigos cuentan con muy valiosas cualidades, pero lo que me une a mí a ellos, lo que yo valúo y busco y atesoro y por lo que gustoso daría mi vida no es su inteligencia o su belleza o su gracia, sino lo que han llegado a significar en mi vida y yo en la suya en afecto y comprensión y entrega y amor. Esto es sublime y divino y único. Y esto está por encima de toda comparación, evaluación o juicio. No he de cambiar un solo átomo de amistad real por toda la gloria del mundo.

Esto acaba con la búsqueda legendaria del amigo ideal. No existe tal cosa. No hay catálogos por orden alfabético para facilitar el manejo. No hay primero y segundo y tercero. Lo que hay es el flujo de la vida y las circunstancias de la existencia y la sucesión de los hechos y el juego del azar y el encuentro casual y el súbito latido y la cercanía creciente y la unidad fundida y la confianza eterna. Éste es el único ideal que existe en la larga y paciente artesanía del amor y la fe que saben encontrar el soplo divino en la fragilidad humana.

Un hombre que había pasado ya la edad casadera (si es que existe tal cosa) hubo de responder un día a sus amigos que le preguntaban por qué no se había casado. Su respuesta fue: «Me he pasado la vida entera buscando a la mujer ideal». Sus amigos comentaron: «Y, claro, no la encontraste». Él les corrigió: «No, no; al final la encontré». «¿Y qué pasó entonces?», insistieron los amigos curiosos. «Oh, nada», explicó, «resultó que ella también andaba buscando el marido ideal». Así no hay boda.

El Mul-lá Naserudín perdió a su mujer y decidió volver a casarse. Para guardar el decoro correspondiente, como era su costumbre, y lograr el justo equilibrio, eligió a una viuda por segunda esposa. Se casaron y compartieron su vida y sus pensamientos con paz y tranquilidad. Su nueva esposa no había olvidado a su anterior marido, y de él hablaba todo el día, recordando con admiración y lágrimas su bondad, sus virtudes y todas sus maravillas. Naserudín, por su parte, también se acordaba de su difunta primera mujer y se hacía lenguas (cosa que nunca había hecho en su vida) de lo bondadosa, cariñosa, trabajadora y delicada que era. Así fueron las cosas en casa del Mul-lá hasta que un día, cuando estaba en la cama con su mujer, le dio un empujón de repente, y ella cayó al suelo y se rompió un brazo. El padre de ella, prontamente informado del accidente, vino enseguida a ver a su hija y a preguntar qué había pasado. Naserudín tenían bien preparada su explicación: «Le voy a decir exactamente lo que pasó, y usted, que es persona inteligente y justa, comprenderá enseguida la verdad. En esta mi casa vivían ahora cuatro personas: mi mujer, su primer marido, mi primera mujer y yo. Yo soy un pobre hombre, y mi casa es pequeña como lo es mi cama. No cabíamos en ella los cuatro, y así una noche mi mujer, que duerme en un extremo de la cama, se dio vuelta en sueños, se cayó de la cama y se rompió el brazo. Eso es todo». El suegro entendió. No hay cama que valga para cuatro.

ÁBREME DESPACITO

Dicen las estadísticas que las mujeres en general tienen más amigos, y más íntimos, que los hombres. Suerte que tienen. Las mujeres pueden dar con toda facilidad el nombre de su mejor amistad, mientras que los hombres se encuentran perdidos ante esa pregunta y no saben qué nombre dar. Los hombres hablan más de negocios o deportes o política con sus compañeros de juego o de trabajo, mientras que las mujeres hablan más de personas y sucesos y, más importante todavía, de sí mismas. También hablan más, y, según una explicación interesante y, por lo visto, científica, se cansan menos al hablar y pueden aguantar más, ya que tienen las cuerdas vocales más cortas, como corresponde, según la física armónica, a su tono de voz más alto, mientras que la laringe del hombre es más voluminosa y sus cuerdas vocales más largas y pesadas, por lo cual requieren un mayor esfuerzo y se cansan antes. Esto es una bendición para la compañía telefónica, y nos coloca a los hombres en desventaja cuando se trata de contiendas vocales con nuestras amistades femeninas. Son las voces femeninas las que coronan la partitura en un coro mixto, donde tenores, barítonos y bajos ceden al menos por una octava a sus bellas compañeras de canto.

Esto viene a recordarnos el hecho simple y fundamental de que hombres y mujeres somos diferentes. Partiendo siempre de una igualdad esencial en talento, habilidad, arte y valor, en los que ninguno de los dos sexos es en manera alguna inferior o superior al otro, queda también siempre el hecho de que somos y seguimos siendo diferentes de muchas maneras, y eso es precisamente lo que hace de esta tierra un mundo interesante en que vivir. Un mundo «unisex» sería un mundo bastante aburrido, aunque por desgracia ahí es donde la moda de hoy parece intentar llevarnos. Peluqueros y modistos, joyeros y fabricantes de cosmética usan la palabra al anunciar sus productos y promocionan una imagen única que no hace justicia a nadie y confunde a todos. Cada vez va resultando más difícil, al ver a una persona joven a cierta distancia o por detrás, determinar a primera vista si es chico o chica. Pelo largo, pendientes, camiseta polo con leyenda, vaqueros y zapatos deportivos son ya patrimonio común de uso universal. Todas las culturas en todos los tiempos hasta nuestros días han hecho resaltar, en tocado y vestido, la diferencia entre los sexos. Nuestra privilegiada generación es la que al fin puede gloriarse de haber logrado la unificación visual de todos los seres humanos. Quizá esto tenga algo que ver con el espíritu de la democracia llevado hasta sus últimas consecuencias.

Esto puede crear problemas. Una vez recibí la agradable visita de un grupo de chicos y chicas de colegio que se pusieron a charlar alegremente conmigo. La voz cantante la llevaba alguien del grupo, muy inteligente y jovial; pero yo, por más que me fijaba en su cara y en cualquier detalle de indumentaria que pudiera ayudarme, no conseguía decidir si se trataba de un chico o de una chica. Su rostro a esa edad bien podía ser el de un chico guapo o el de una chica seria, y la ropa era el uniforme de juventud que acabo de describir, junto con el resto del aspecto externo: pelo largo (sin pendientes), camiseta polo, vaqueros y sandalias. La voz era el soprano infantil que aún no había cambiado a timbre adulto. Eso me dejaba sin indicios observables a ojo o a oído. Pensé resolver el enigma preguntándole su nombre. Me contestó: «Kshitij». Es un bello nombre en nuestra lengua, aparte su espinosa pronunciación; quiere decir «horizonte», y es original e imaginativo en su sugerencia poética de distancias y amplitud y belleza. El único problema, y lo que más me afectaba a mí por el momento, era que tanto puede ser nombre de chico como de chica. Eso me dejaba sin solución. Vuelta a empezar. Era urgente para mí dirimir la cuestión, porque la lengua gujarati, en la que conversábamos, tiene una gramática tan rica en inflexiones que los verbos no sólo tienen tiempo, número y persona, sino también género, lo cual hace imposible hablar con una persona sin saber si uno se está dirigiendo a un hombre o a una mujer. Si quiero preguntar, «¿Cuándo llegaste?», el «llegaste» será «ávio» si se lo pregunto a un chico, y «avi» si se lo pregunto a una chica. Tengo que saber el sexo antes de hacer la pregunta, y cualquier desliz gramatical en la materia sería una metedura de pata imperdonable. Fue precisamente esta peculiaridad gramatical la que me sugirió una salida, aunque algo aventurada, de mi apuro verbal. Le hice esa misma pregunta, «¿Cuándo llegaste?» con el masculino «ávio», y observé cuidadosamente qué reacción se producía en su cara neutral. La reacción fue rápida y clara. Una mueca retorcida de risa mal contenida. Había fallado. Mis prejuicios de hombre me habían llevado a hacer primero la pregunta en masculino, y era evidente que no había dado en el blanco. Dejé pasar unas frases generales sin compromisos de género, y lo intenté otra vez, eso sí, ahora con el femenino «avi» en la frase. El resultado instantáneo fue una gran sonrisa de alivio en el rostro amistoso. De modo que era chica. Y una chica encantadora, además. Nos hicimos amigos, y siempre que nos hemos vuelto a encontrar al pasar de los años, ella ahora indiscutiblemente femenina en su adulta figura de gentil belleza, he vuelto a recordar el azorado rubor que mi primer encuentro con ella hizo subir a mis mejillas. Sería de desear que los árbitros de la moda hicieran alguna concesión a gente torpe e inocente como yo, que desearían saber desde el principio con quién están hablando sin tener que preguntar directamente: «¿Eres chico o chica?»

Espero que mis censores me permitan citar aquí un cuento auténtico y original del Mul-lá Naserudín, tomado de una de las más antiguas colecciones persas de sus historias. Como lo más tarde que lo sitúan los historiadores es en el siglo XIII (algunos, como he dejado dicho, lo sitúan aún antes), la venerable antigüedad del cuento puede hacerlo respetable a nuestros oídos críticos. Sucedió que una vez el Mul-lá Naserudín oyó contar a alguien que volvía de un largo viaje que en un país lejano de aquel tiempo todos sus habitantes andaban totalmente desnudos, ya que los vestidos no se conocían entre ellos. Naserudín se quedó pensativo un buen rato, y parecía estar perplejo. Al fin expresó la causa de su perplejidad y, con la sabia y prudente inocencia que lo caracterizaba, preguntó al viajero que había llegado a aquel país y había traído aquella información: «Si es como dices, y si la gente allí no lleva ropa ninguna, ¿cómo distinguen a los hombres de las mujeres?»

He dicho que es un chiste antiguo, pero al mismo tiempo es un chiste bien moderno, lo que demuestra que el pasado siempre tiene lecciones para el presente si las sabemos escuchar. Naserudín no habría sabido cómo vivir en un lugar donde el vestido no marcara la diferencia entre un hombre y una mujer. Cada uno puede vestirse como quiera, desde luego, y no se trata aquí de preferir una moda a otra; pero sí se trata de captar el mensaje del cuento, que no es la ropa, sino el espíritu, el carácter, el talante y la singularidad de hombres y mujeres en sus personalidades específicas. Dentro de una unidad esencial de raza y dignidad humana, tenemos dotes y rasgos y matices y tonos distintos. Y ésta es precisamente nuestra mejor contribución al enriquecimiento mutuo y la felicidad del género humano. Si Naserudín no podía distinguir ambos sexos, siempre podía haber recurrido a la gramática, ya que me imagino que el persa no es lenguaje menos perfecto que el gujarati. Pero, más que de gramática y vestido, de lo que se trata aquí es de la personalidad que acompaña al sexo y que, si se pierde o se oscurece, debilita y empobrece en la misma medida la herencia vital de la raza humana.

La mujer en su plenitud se hace madre, y ése, desde todo tiempo y en toda cultura, es el mayor logro que un ser humano puede alcanzar en esta tierra. Traer al mundo a un niño, criarlo y conducirlo a madurez como sólo una madre sabe hacer, es un milagro de la naturaleza, un regalo a la humanidad y una satisfacción personal que supera cualquier otra hazaña o proeza de factura humana. Eso da a la mujer una posición sin rival en la sociedad humana, un sentido de íntima y legítima complacencia y una definición clara y poderosa de su exclusiva y sublime personalidad. Un hombre no puede hacer nada comparable con eso. El hombre llega a la sociedad cargado de ambiciones y vacío de realizaciones. De ahí le viene la implacable necesidad de demostrar su valía, de justificar su presencia en el mundo, de lograr éxitos. No es que las mujeres no hayan de lograr éxitos, ya que pueden hacer casi todo lo que el hombre hace, y mejor todavía; pero la mujer siempre puede, y yo sospecho que siempre secretamente piensa en su presente o futura maternidad, y así puede mirar con tranquilidad desde arriba al campo de batalla humano que se extiende a sus pies. Esta diferencia viviente nos marca a todos, hombres y mujeres, a lo largo de toda nuestra existencia terrestre, para nuestro bien si la entendemos y aceptamos y ponemos en práctica con gratitud y alegría, y para nuestro daño si tratamos de olvidarla.

Al llegar aquí pienso en nuestras hermanas religiosas, mujeres admirables que en plena responsabilidad han renunciado a la maternidad material para hacerse, en nombre de Dios que las ha llamado, madres y hermanas de todos los hombres y mujeres que necesitan ayuda y cariño en este mundo inclemente. Trato de adivinar, desde la perspectiva de mi bronca masculinidad, los sentimientos íntimos de feminidad y virginidad en el secreto velado de sus almas consagradas. No han de ser madres en sentido físico, y esto dobla la urgencia que sienten por hacer fecundas sus vidas en servicio de Dios y del prójimo, y por encontrar la expresión y plenitud de sus vidas en la elevada humildad de su trabajo callado y su ferviente desprendimiento. Quizá esto explique, junto con la gracia y providencia de Dios, lo lejos y lo alto que estas escogidas mujeres han llegado en entrega total, en devoción alegre, en servicio ejemplar y en compromiso fiel a todo lo largo de sus nobles vidas. Y quizá esto ayude también a explicar las frustraciones y sufrimientos a que no son ajenas en su delicada feminidad y su vulnerable sensibilidad. He visto a muchas hermanas religiosas llorar en mi presencia, y no me olvidaré fácilmente de esas lágrimas. Me inclino ante esas mujeres, tiernas y heroicas, y las saludo desde el fondo de mi alma con admiración reverente y cariñosa gratitud.

Cito ahora un incidente, que me dolió personalmente, en el que se evidencia una tendencia, a mi modo de ver exagerada, a unificar los sexos. Se trata del lenguaje «unisex» que se ha impuesto en los Estados Unidos. Es verdad que nuestras lenguas, en giros y en sintaxis, muestran un prejuicio masculino, hasta el punto de que en expresiones que deberían incluir a todo el mundo, hombres y mujeres, parecen quedar excluidas las mujeres. El grito democrático tradicional, «¡Un hombre, un voto!», está muy bien; pero ¿es que las mujeres no tienen voto? Decimos frases como «Jesús vino a salvar a todos los hombres», y desde luego incluimos mentalmente a las mujeres también en la palabra «hombres», pero sin duda es una injusticia gramatical. Los refranes van en masculino, como «El uno por el otro, la casa sin barrer», siendo así que las que barren la casa de ordinario son mujeres. Decimos constantemente frases como, «Hombre, que cada uno haga lo que quiera», con el «hombre» y el «uno» en masculino, aunque estemos hablando a un grupo mixto. Escritores norteamericanos vieron pronto la discriminación verbal y comenzaron a buscar medios de corregirla. Carl Rogers, en uno de sus libros *(Carl Rogers on Personal Power),* se valió del recurso de usar lenguaje femenino (ella/una/mujer) en los capítulos impares, y lenguaje masculino (él/uno/hombre) en los pares. Por ejemplo, si a la frase «todos tenemos necesidad de un psicólogo» le tocaba capítulo impar, salía así: «todas tenemos necesidad de una psicóloga». Noble esfuerzo, por más que artificial. Lo que no recuerdo es si el número de capítulos en el libro era par, para igualar la cuenta. De ahí vino luego la campaña sistemática que dio lugar al lenguaje «unisex», obligatorio ya en los Estados Unidos. Allí, en frases generales de ámbito universal no se puede decir ya «hombres», sino «personas»; como tampoco «hijo» («*son*», que es masculino), sino «niño» («*child*», que en inglés es neutro). Para decir «la humanidad» en inglés se usaba siempre la palabra «*mankind*», pero ahora está prohibida y desterrada, porque su primer componente «*man*» quiere decir «hombre», lo que excluiría a las mujeres de la humanidad. Lo curioso es que la palabra que han escogido para reemplazarla es «*humankind*», sin caer en la cuenta de que «*human*» viene del latín «*humanus*» y «*homo*», que quiere decir «hombre». De modo que no han ganado nada y han perdido una bella e importante palabra.

Han publicado en los Estados Unidos una traducción de los salmos de la Biblia en lenguaje «unisex», y todo autor que quiera que lo respeten y lo lean ha de acogerse a ella. Allí la bella «Oración por el Rey» se transforma en «Oración por nuestros líderes». Muy democrático, desde luego, pero un rey es un rey dondequiera que esté, y la historia y la literatura y el vocabulario y el romance de todos los tiempos saldrán perdiendo si hay que suprimir la palabra «rey», sencillamente porque es masculina. Y por cierto que David, el tradicional autor de los salmos, apreciaba ampliamente a las mujeres. Su primer salmo, «Dichoso aquel que...», pasa a ser en inglés «unisex», «Dichosos aquellos...», porque el pronombre personal singular tiene género en inglés («*he*», «*she*»), mientras que el plural tiene sólo una forma para los dos géneros («*they*»), con lo cual se evita la referencia masculina. Éste es otro truco corriente del lenguaje neutro en inglés, es decir, hablar siempre en plural para evitar los pronombres personales singulares masculino y femenino. Se gana en amplitud de referencia, pero se pierde en flexibilidad de lenguaje. Es molesto tener que estar hablando siempre en plural.

Tal lenguaje neutral ha sido posible hasta cierto punto en inglés, precisamente porque la gramática inglesa es rudimentaria y carece casi totalmente de inflexiones. No tiene declinaciones ni apenas conjugaciones, y así las diferencias de género pueden evitarse, debido a la pobreza gramatical. Cualquier lenguaje más rico, con abundancia de matices y detalles, se resistiría a ser manipulado de esa manera. Un lenguaje unificado es una pérdida lingüística. Quizá por eso mismo en castellano no se ha hecho sentir esta tendencia norteamericana, como tampoco en las lenguas indias que conozco. Pero, aparte del abolengo del lenguaje, con las herencias inapreciables del latín y el sánscrito, creo ver también en esa actitud una sabiduría más profunda que, manteniendo una caballerosidad tradicional y actual para con la mujer, respeta la herencia lingüística y la riqueza sintáctica sin pretender unificar tratamientos. (Ya tendré cuidado de cambiar todo este párrafo en la edición inglesa de este libro).

Y aquí viene el pequeño problema personal que he mencionado al introducir este tema. Cuando se impuso esta moda en Norteamérica, mi editor de Chicago me comunicó que en adelante tenía que acomodarme a ella si quería que mis libros se publicasen allí. Acepté, aprendí las reglas y escribí de acuerdo con ellas. Pero había llegado con un libro de retraso. Un libro mío con el lenguaje de siempre, sin modificar, se había publicado ya en aquella misma editorial, y las feministas de guardia no perdieron tiempo en atacarlo. Por fortuna, todas las enfurecidas cartas fueron dirigidas al editor, que hubo de hacer frente al violento ataque, y luego me envió a mí sólo una pequeña muestra de esa correspondencia para que viera y apreciara lo que él había padecido por mi causa. Cito aquí en traducción exacta una de esas cartas, fechada el 18 de agosto, 1990, en Akron, Ohio:

«Tenía ilusión por leer ese libro, pero he quedado enteramente fuera de mí al ver en él el repetido uso genérico de las palabras 'hombres' y 'humanidad' cuando también se trata de mujeres, ¡y eso en 1990! El incluir a las mujeres en esos términos genéricos es un insulto, por no decir más. Todo el libro me ha causado una constante irritación, pero esta mañana he leído lo siguiente en la página 113: '... el salvar aunque sea sólo a uno de esos niños, tomar al pequeño abandonado en manos cariñosas, cuidarlo, criarlo, darle un hogar y un nombre y un futuro, es una de las obras más cristianamente bellas que el hombre puede hacer y que, aparte de salvar al niño, salva también a la humanidad, al darle la alegría de ver que aún queda bondad en el hombre y renovarle el derecho a la esperanza en un mundo que la ha perdido. Salvar a ese niño es un acto de amor no sólo a él, sino a toda la humanidad, y por eso tiene un valor incalculable... aunque el problema del aborto continúe'. ¿Cómo se puede decir 'hombre' y 'humanidad' cuando se trata de criar y cuidar a un niño? Se *podría* de alguna manera pretender que el hombre puede entrar en ello; pero eso sería sacar las cosas de quicio. Parece que, una vez más, la Iglesia va por detrás del resto del mundo en universalidad de lenguaje. Al menos al escribir (sin tener en cuenta la interpretación de las Escrituras —y la manía del Padre Vallés de hablar de Dios en masculino es intolerable para mí—), se debería tener cortesía para con los lectores. Estoy segura de que la mayoría de lectores de este libro son mujeres, y a lo largo de todo el libro el autor no hace más que darnos de bofetadas en el rostro. Atentamente...» Sigue la firma.

Cito la carta porque quiero citar mi respuesta al editor que me la envió, y que también me enviaba junto con ella la cortés respuesta que había enviado a la autora de la carta. Le agradecí la información, le aseguré que tendría el lenguaje a su gusto en futuros libros posibles, como ya habíamos empezado a hacerlo, alabé su paciencia en contestar tan suavemente cartas como aquella, y finalmente añadí: «Aceptando la igualdad de los sexos, y respetando los sentimientos de su corresponsal, me permito indicar que algunas de sus expresiones parecen exageradas. El 'quedar fuera de sí', la 'constante irritación', y el sentirse 'abofeteada en el rostro' por la prosa de todo el libro, parecen más bien hipérboles. Amo a las mujeres, y desearía cayeran en la cuenta de dónde está su verdadero encanto». Aún tiene mucho que aprender la «humanidad».

Ahora quiero un ejemplo más amable, para acabar en nota agradable este capítulo que para mí es importante y delicado. Mucho he aprendido de mujeres en la vida, de sus puntos de vista, comentarios, críticas y opiniones, y más aún de su conducta, delicadeza, sentimientos y reacciones. Cito aquí el caso de una joven universitaria, a la que nunca he visto, y que me ha enseñado una serie de cosas en relaciones humanas que yo nunca habría aprendido por mi cuenta.

El correo diario es para mí una carga molesta y repetida de abrir sobres, leer pliegos y disparar respuestas. No tengo secretario que me ayude en la monótona tarea. La mayor parte de las cartas son invitaciones para dar una charla, un curso, presidir alguna ceremonia o visitar alguna localidad; otras piden consejo en problemas que la palabra escrita no puede resolver; y otras vienen directamente de admiradores o detractores, que viene a ser lo mismo. Pila irregular de sobres desiguales en tamaño, pero semejantes en su contenido. Sólo de vez en cuando llega una carta distinta, una alegría epistolar, una sorpresa inesperada. Un día, al trabajar el montón del correo, tomé un sobre en mis manos, miré la letra por si me era conocida, y al no serlo le di la vuelta al sobre para leer el remite. Lo que leí fue otra cosa. En la parte de atrás del sobre, en el lugar donde deben ir el nombre y las señas del remitente, no había tal nombre ni tales señas, sino solamente las siguientes palabras misteriosas: «Ábreme despacito». Aquello era algo nuevo. Una obertura tentadora, trazada sin duda alguna por mano femenina (a ningún hombre, por mucho que dominase el lenguaje y los sentimientos «unisex», se le ocurriría jamás escribir eso), preludio de una atrevida aventura epistolar. Rasgué el sobre con rápida impaciencia, saqué de un tirón la carta, la desdoblé y empecé a leer.

En gujarati, el título que puede darse a una persona mayor en una carta varía desde «querido», «respetado», «digno de adoración», hasta expresiones poéticas como «vos-cuyo-nombre-ha-de-pronunciarse-al-amanecer». Yo estoy ya acostumbrado al vocabulario, y lo encajo sin pestañear; pero, aun así, no estaba preparado para el saludo que me traía aquella carta. Empezaba: «Mi muy querido y algo bruto Padre». ¡Y encima me había dicho que abriera la carta despacito! Ya sé que soy un poco bruto, e incluso me enorgullezco de ello a veces, pero esta muchacha parecía haberlo averiguado pronto y se había tomado la molestia de hacérmelo saber desde el principio de las negociaciones. El hecho era que me había escrito antes otra carta, después de haber leído uno de mis libros, y en ella me había hecho algunas preguntas personales que yo había contestado a vuelta de correo de manera brusca y áspera, como un oso entre maizales, por traducir equivalentemente su expresión. Sentí cierta alegría extraña por haber sido descubierto, y por el claro juicio y el valor decidido con que aquella valiente muchacha me había leído la cartilla. Buen comienzo. Pero tenía más cosas por decir.

Continuaba en su carta: «Ha cometido usted una equivocación. Ha contestado mi carta a vuelta de correo. ¿No ve usted que así su respuesta no tiene valor ninguno? Debería usted haberme hecho esperar, haberme tenido en suspenso, haberme hecho dudar y desear y desesperarme: ¿Me contestará? ¿No me contestará? ¿Habré dicho algo en mi carta que le ha desagradado y la ha tirado a la papelera? ¿O quizá la carta se ha perdido en el correo y no la ha recibido? Debería usted haber dejado pasar los días para que aumentara mi afán, y la ansiedad se me hiciera irresistible. Entonces, cuando al fin llegara su carta y me la diera el cartero, yo saltaría de alegría y me volvería loca y apreciaría la carta como un regalo sin precio. Pero no, usted siempre tan perfecto, tan ejemplar y tan eficiente, recibe mi carta, la lee y la contesta inmediatamente. Le digo que a ese paso no va usted a llegar muy lejos». ¡Caray con la niña! Nada menos que se había puesto a darme lecciones de cómo escribir cartas. Y lo malo es que tenía razón. Siempre he presumido de ser rápido y eficiente en la correspondencia. Carta que viene, carta que va. Nada sobre la mesa. No dejes para las diez y media lo que puedes hacer a las diez y cuarto. Y ahora, de repente, caía yo en la cuenta de que tras aquella fachada de firmeza aparente se escondía débil orgullo, costumbre rutinaria, simple inseguridad y miedo a quedar debiéndole un favor a alguien. Aquella muchacha me había enseñado el valor de no contestar las cartas a tiempo. Y eso era sólo el comienzo.

Seguía adelante: «Me invita usted en su carta a que vaya a verlo cualquier día en su residencia. ¿Por qué había de ir yo? ¿Tiene usted la costumbre de invitar a todos sus corresponsales a visitarlo? Si lo hace así, tendrá que poner lista de espera en su portería. ¿Y qué pasa si yo quiero comunicarme con usted sólo por carta? ¿No tengo derecho a eso? Suponga usted que voy a verlo y me pongo nerviosa y me siento tímida y se me traba la lengua y no puedo hablar. Suponga que prefiero conservar mi libertad y mi distancia. ¿No puedo hacerlo? Y, por cierto, eso no quiere decir que yo no le quiera enseñar mi cara. Al contrario, es bien bonita, y me gustaría que usted la viera. Pero prefiero que se la imagine. Confío en que será usted un buen pintor. Dígame, ¿cómo se me imagina?» Eso era ya casi demasiado para mí. Puedo encajar una buena dosis de broma, pero esta muchacha estaba sondeando alegremente profundidades insospechadas. No me la imaginaba yo con la lengua trabada de timidez en mi presencia, y desde luego que no se le trababa la pluma en su carta; y casi sentí alivio al saber que no iba a venir a verme. Aunque, junto con ello, sentí también claramente en mí el deseo contradictorio de verla cara a cara algún día. Ella pareció haber adivinado mi deseo, porque continuaba así en su sorprendente y original carta:

«Y no se crea usted que porque tiene mi dirección en mi carta y, de hecho, vivimos muy cerca el uno del otro, puede usted venir a verme a mi casa. Es decir, claro que puede venir si quiere, y yo le abriré la puerta, y cuando usted pregunte por mí, yo contestaré, 'No está en casa', y usted tendrá que marcharse de capa caída por donde vino». ¡Vaya muchacha con agallas! Me dejaba sin defensa alguna. Muy muy despacito. Muy muy callandito. Pero no dejaba cabo por atar. Sabía más esa muchacha de relaciones humanas que todo lo que yo había aprendido en mi vida en libros y cursos. Ella siguió escribiendo. Y seguí contestando sus cartas, aunque ya no a vuelta de correo. Cada carta suya me trae una sorpresa, a veces en el sobre, y siempre dentro. Y aún no sé qué cara tiene.

Me gustaría haber tenido la originalidad y el valor de poner en la cubierta de este libro: «Ábreme despacito». Tampoco yo conozco el rostro de mis lectores y lectoras. Trataré de imaginármelo. Soy buen pintor.

JUEGO DE OLAS

Estoy andando al aire libre. Largas zancadas, paso rápido, la cabeza levantada y los ojos abiertos y alerta para captar todo color y movimiento de cerca y de lejos en todo el ambiente que me rodea. Respiro a conciencia, sabiendo que mi aliento une el interior de mi cuerpo con la atmósfera sin límites, haciéndose vida en mis pulmones y cielo azul en los eternos horizontes. Siento la presencia de mi piel, que es a un tiempo frontera y vínculo entre mis entrañas y el mundo. Piso el terreno con cuidado para evitarle a la madre tierra los golpes de mis talones, y defender también mis huesos de los martillazos traumáticos contra el duro suelo. Dejo a mis brazos balancearse al compás de los ritmos de la vida en las mieses que bailan y los árboles que oscilan. Asumo mi puesto en las filas privilegiadas de los hijos de la naturaleza, y siento dentro de mí la unidad orgánica que me une a todo lo que se mueve y respira y vive conmigo.

Canto al andar. Canto en voz alta, sin preocuparme de las sonrisas de los que pasan, de un verso olvidado que improviso a mi manera, de una nota desplazada en la melodía. Me encuentro que voy cantando cantos de mi niñez, olvidados hace media vida y renacidos súbitamente, que aceleran mi paso cuando las células de mis tejidos más íntimos recuerdan sonidos de juventud en tiempos lejanos y aires alegres. *«Trarira, der Sommer, der ist da!»*, *«Auf der Lüneburger Heide»*, *«Alle Vögel sind schon da»*, *«Ein*

Jäger aus Kurpfalz», *«Steige hoch du rote Adler!»*. Me lleno yo mismo de admiración y sorpresa al ver cómo los pequeños poemas enterrados en el subconsciente cobran vida otra vez, desempolvan la partitura, ensayan la melodía y llenan el aire con notas alegres que proclaman a los cuatro vientos la unidad de mi vida desde los días en que aprendí esas canciones hasta el momento en que las canto ahora. Y así veo también y siento en lo más íntimo de mi ser cómo el sonido y el aire y el sentimiento y las vibraciones restauran la unidad de una naturaleza fragmentada que vuelve a unir todos sus miembros vivos. Canto mi vida de persona privada y ser humano universal, al andar por los caminos de sorpresa polvorienta en laberintos de alegría.

Amo a la naturaleza, en la majestad de sus ríos y montañas y en la sencillez de una flor solitaria o una hoja caída; en los amplios espacios de horizontes salvajes o en el museo verde de un jardín municipal; en fotografías fijas o en presencia viva; en películas artísticas o en contemplación extática. Puedo inclinarme ante el sol naciente en el rito védico del *suryanamaskar,* puedo ver el fluir de la vida humana en las aguas del Ganges, puedo caer de rodillas en oración sobre la cumbre de una montaña, y puedo sentir la unidad de mi ser con el misterio estrellado de la noche oscura en revelación privada. Amo a la naturaleza con respeto y gratitud, con cercanía y distancia, con orgullo y humildad, con actualidad y eternidad. Sentir cósmico de profundidad humana en dimensiones infinitas.

Y luego odio a la naturaleza. El tiempo caprichoso, los ciclones asesinos, las mareas engañosas, los terremotos asoladores. La pequeñez de los seres humanos ante los elementos, la inclemencia de las estaciones, la inseguridad ante cambios inesperados, la profundidad de los océanos, donde tantas vidas yacen en sepulcro abismal. Nunca se sabe cuándo va golpear el rayo o estallar la tormenta, cuándo va a rebelarse el aire y el temible remolino va a levantar, revolver y torturar las arenas del desierto y las vidas de hombres y mujeres que en él viven. Impotencia de lo pequeño ante lo grande, de lo contingente ante lo permanente, de la vida humilde ante la naturaleza rabiosa. Precaria condición de los seres humanos en la tierra.

Y el calor, el calor, el calor. La maldición más fuerte y maligna de mi vida sobre la tierra, y espero que no sea presagio de castigos más allá de ella. La opresión brutal, el aire al rojo vivo, el horno del sol, las ramas marchitas en arbustos retorcidos, los pájaros silenciosos con los cantos ahogados en sus gargantas resecas. Después de un paseo forzado por la necesidad de ejercicio a golpes de fuerza de voluntad y sudor, me paso la mano por la frente, y mis dedos quedan envueltos por una guirnalda de fina sal blanca. El sol hizo salir primero y secarse después sobre mi frente el sudor salino que ha convertido mi frente en una fábrica privada de sal. Y, una vez en mi cuarto, las paredes incandescentes, el polvo enemigo, la masa ardiente de plomo derretido que mis pulmones han de respirar, el compasivo ventilador de techo que le da vueltas al calor con una cantinela quejumbrosa que parece pedir perdón por no poder hacer más.

La noche no alivia el tormento del día. La cama agobia, las sábanas se pegan, el aire gravita sobre el cuerpo con inmovilidad, sin piedad. El reloj lejano da horas que siempre le parecen aún tempranas a la mente inquieta. La oscuridad arde en rescoldo entre dos fuegos, sin poder nunca alejarse del uno o del otro. La noche entre dos días. La conflagración pasada que se arrastra en las cenizas, y la erupción venidera que anuncia sus llamas en el resplandor de la aurora enemiga. Día tras día. Mes tras mes. Todas las estaciones del año derretidas en el flujo incesante del perpetuo verano tropical, con sólo el breve respiro de un tímido invierno. Tormento del cuerpo que se refleja en la delicada meteorología de los climas del alma.

¿Qué le ha pasado a este querido planeta, que tenemos que luchar contra los elementos, someter la naturaleza, defendernos a la desesperada para poder sobrevivir? Tiritamos de frío o nos asamos de calor, nos calamos bajo la lluvia o nos quemamos al sol, nos vemos amenazados en nuestra existencia y nuestros bienes por el viento, el agua y el fuego. ¿No podría la tierra estar mejor distribuida en el globo terráqueo para que los continentes fueran más amables y los climas más adaptados a la habitación del hombre? ¿No podrían dirigirse las corrientes de los océanos y los vientos de las estaciones para que templasen las inclemencias del tiempo y le hicieran al hombre más fácil y agradable el vivir sobre la tierra obligatoria? ¿No podría nuestra morada terrena ser de veras una morada? Llamada angustiosa del corazón que siente la aflicción del cuerpo al que da vida.

Ahora estoy enfermo en una cama de hospital. Otra vez la naturaleza, ahora no desde fuera, sino con la traición interna de virus y bacterias, ha atacado con golpe mortal las mismas entrañas de mi vulnerable ser. Molestia en todo el cuerpo, miedo y aprensión, miembros debilitados y lengua sucia, dolor físico y agonía mental. Noches sin sueño y días sin descanso. ¿Cuando se irá la fiebre? ¿Cuándo recobraré las fuerzas? ¿Cómo puedo recobrar la confianza cuando la súbita embestida no da aviso, y mis sentidos inocentes no detectan el peligro? Odio el techo que veo, el peso de las sábanas, el sabor de la comida de hospital, las llamadas a la puerta cuando ya rozaba el sueño, las preguntas repetidas, los consejos vacíos, las frases hechas de rigor. Lo odio todo y los odio a todos, y sólo quiero salir de aquí, asentar los pies, andar firme y deprisa, dispuesto a llegar a la tumba si hace falta, pero nunca a volver a la derrota de la enfermedad. ¿Por qué he de ser yo tan frágil?

Amor y odio. Esperanza y miedo. Cerca y lejos y dentro de mí y alrededor mío. Un día, en mi juventud, estaba yo nadando en el mar, deporte favorito de agua fresca y libertad ingrávida en comunión ancestral con el elemento líquido del cual salió la vida en el albor de la creación. Un leve movimiento impulsaba el cuerpo entero, las olas amigas acariciaban mis miembros relajados, sus crestas y valles me acunaban con las canciones de cuna que tan bien conocían de cantarlas siempre al comienzo de una nueva vida. Alegría sin preocupaciones en los brazos amantes de la naturaleza. Pero, de repente, me entró el pánico. Conocía al enemigo. Me había olvidado del tiempo y la marea, pero sabía de la existencia de la fatal resaca que ataca sin avisar y atrapa en sus garras de hierro, sin remisión, a cualquier cuerpo que flote en sus dominios, y lo arrastra lejos de la playa y hacia alta mar en la oculta corriente de su fuerza secreta. Intenté nadar, pero cuanto más nadaba hacia la playa, más me alejaba de ella. Azoté las olas, sentí el gusto amargo del agua del mar en la boca, me rebelé contra la corriente, sentí el frío del desespero. Un guarda costero vio mis apuros, nadó hasta mí amarrado a una cuerda y me remolcó hasta la playa. Yo había visto la vida y la muerte en un mismo día; me había sumido en el odio después de nadar en el amor. Terror y encanto de la naturaleza en el juego alegre y asesino de las olas de sus océanos.

COTILLEO PARA LA ETERNIDAD

Al escribir sobre la Naturaleza, estaba ya escribiendo sobre Dios. Es una buena cobertura para expresar indirectamente quejas y resentimientos contra la vida y la creación sin culpar directamente a Dios, ya que no nos dirigimos a él, pero involucrándolo efectivamente, ya que él es el último responsable del orden en sus dominios. Y así es como el tema central de este libro, que he enunciado claramente desde el principio y que he tenido presente siempre a través de todos los escenarios de los distintos capítulos, viene ahora a centrarse en la relación más importante de nuestra vida, que es nuestra relación con Dios. Y ese tema central es que toda relación es una relación de amor y odio, y que el entender este hecho es la mejor manera de fomentar la relación, mientras que el ignorarlo daña a la misma relación y causa estragos. Hará falta delicadeza y valor para aplicar este principio a nuestra relación con Dios, y ésa es la tarea de este capítulo, que espero hayan preparado y facilitado los capítulos que lo preceden.

Amo a Dios. No es sólo el primer mandamiento, sino la base de mi vida como creyente y la experiencia continuada que ha dado sentido a mis pensamientos y calor a mis sentimientos. El amor joven al Amigo recién descubierto, la emoción de su voz en los Evangelios y de su presencia en la Eucaristía, la identidad sacramental en el sello del sacerdocio, los años maduros, la intimidad creciente, el cercano entender, y luego, una vez más, el misterio y la adoración y el silencio y «la nube del no-conocer». El largo aprender de llevar ese amor a todos los hombres en su nombre, para servir y ayudar y animar y amar. Ramas de un tronco, flores de una raíz, amor de una fuente. Todo lo mejor de la vida, que es el amor y la amistad, y que espero las páginas de este libro hayan dejado claro lo mucho que eso significa para mí, viene de ese supremo amor en la lejanía de la divinidad y en la cercanía de fe y sacramento. El hilo dorado que enhebra las cuentas de la vida en guirnalda de flores terrenas con aromas divinos.

Y luego también siento resentimiento hacia Dios. (Le perdono la palabra más fuerte por respeto teológico y timidez lingüística). Le tengo resentimiento por haberse llevado a mi padre cuando yo sólo tenía diez años, por haberme hecho ver la guerra y la muerte en años tiernos todavía, por sufrimientos en mi familia y lágrimas en los ojos de mis amigos; le tengo resentimiento por haberme dado esperanzas que nunca cumplió, por no escuchar mis oraciones cuando había prometido que lo haría, por la sequedad en mi oración y la soledad en mi celibato, por la tensión que me causa el defender sus derechos en un mundo que los ignora; le tengo resentimiento por haber dado leyes que no puedo cumplir y mandamientos que no puedo guardar, por hacerme sentir culpable y amenazarme con real desagrado y eterno castigo, por poner a prueba mi fe y abusar de mi buena voluntad; le tengo resentimiento por permitir que algunos de sus representantes en la tierra digan y ordenen cosas que, en cuanto yo sinceramente veo y entiendo, van contra sus propios intereses entre los hombres, contra su gloria eterna y el bien de su Iglesia, y por la cólera y el dolor y la frustración que esta situación me causa en mis fervientes deseos y en mi total impotencia. Oh, sí, siento mayor resentimiento contra Dios que contra ningún otro en este mundo, precisamente porque él es quien más me importa, y porque de manera misteriosa pero real él está presente en cada espina que hiere mis pies y en cada carga que doblega mi alma.

Me siento aliviado después de haber escrito este párrafo, y eso confirma la tesis que voy desarrollando paso a paso. Los sentimientos negativos, si se ignoran, se minimizan o se suprimen por la fuerza, dañan ante todo a la misma relación, y luego a los demás hacia quienes son inevitablemente desviados en compensación oculta por el amor frustrado; y al contrario, si se reconocen, se aceptan y se expresan dignamente, curan la herida e intensifican la relación y defienden a todos a quienes amamos de la venganza indirecta que los amenazaba. Si yo siento que Dios me ha fallado, pero por reverencia o miedo o falta de costumbre no me permito pensar semejante cosa, y continúo diciéndole a Dios que es maravilloso, lleno de amor y delicadeza, infinitamente justo y amante en su misericordia y en su providencia, y que yo lo amo y lo alabo y le doy gracias más que nunca por todo lo que ha hecho y sigue haciendo, hay algo que no encaja en mi actitud, y pronto habré de pagar por ello. El primer problema es que mis palabras no corresponden a mis verdaderos sentimientos, y este engaño consciente o inconsciente va a minar nuestra relación mutua y, a la larga, debilitará mi fe. La fe se fortifica con hablar, no con callarse. Las quejas son quejas, sean verdaderas o imaginarias, y hay que ventilarlas a tiempo, con claridad y confianza, si no queremos que se adentren y se enconen y nos envenenen. Y el segundo problema es que, si ha subido en mi alma la marea venenosa del resentimiento, y yo le he cerrado el paso en la dirección que ella llevaba, seguirá subiendo y, al ver el camino cortado, encontrará otras salidas y se derramará sobre otros blancos, ante la sorpresa y el dolor de las víctimas inocentes de mi furia desplazada. Si yo no aclaro a tiempo los malentendidos, fricciones y choques que de una manera o de otra se manifiestan en mis relaciones con Dios, pronto todas las personas que me rodean, y sobre todo los que trabajan bajo mis órdenes y son, por tanto, blancos más fáciles de mis sentimientos revueltos, van a verse atacados y maltratados por mí con vehemencia insospechada y sin razón alguna verdadera. Pagan ellos por otro ajuste de cuentas en el que no tienen parte. La cuerda se rompe por la parte más floja.

Job maldijo el día en que había nacido y la noche en que se dijo: «ha sido concebido un hombre». En su lenguaje poético y su dolor profundo, se refería claramente al Señor que había hecho ese día y creado esa noche, y a él se dirigía el grito desgarrado de su corazón herido. Sus amigos le dijeron que se callara y confesara sus pecados, pero Dios apreció más las quejas sinceras de su devoto siervo que el pacifismo político de sus diplomáticos amigos. Dios recogió el guante él mismo, habló con la misma claridad y mayor vehemencia, en sus discursos tocó las cumbres más sublimes de la revelación divina, y al final bendijo a Job y le devolvió sus posesiones y su felicidad. La transparencia en una relación siempre ayuda a la relación misma y a aquellos a quienes une. La relación más íntima de nuestras vidas, que es nuestra relación con Dios, no es excepción, sino egregia confirmación de la regla.

No puedo asegurarlo, ya que el velo que protege el rostro divino de las miradas humanas desautoriza paralelismos fáciles; pero es perfectamente posible que, por la parte que a Dios le toca en su relación con nosotros, hombres y mujeres de su pueblo sobre la tierra, esa relación sea también un asunto de amor y odio. Sí que expresó tales sentimientos condenatorios contra su propio pueblo en los días del desierto y de los profetas; y es posible que también hoy con nosotros, como pueblo y como individuos, se sienta harto a veces y no le caigamos bien del todo, aun en medio del amor que indefectiblemente nos profesa.

Eso es a él a quien le toca decirlo.

Cotilleo para la eternidad.